minä perhonen?

Published in 2011 by BNN, Inc.
1-20-6, Ebisu-minami, Shibuya-ku, Tokyo, 150-0022, Japan
world_info@bnn.co.jp
http://www.bnn.co.jp

© 2011 minä perhonen
ISBN978-4-86100-746-0
Printed in Japan

ミナ ペルホネン

？

ビー・エヌ・エヌ新社

もくじ

12	日常	64	魚市場
16	時	66	本
18	1995年	68	リレー
22	青	72	コレクション
26	黄色	76	展覧会
30	ソーダウォーター	82	刺繍
32	タンバリン	86	粒子
36	印刷物	90	手のあと
40	しぐさ	94	価値
44	貼り絵	96	100年
48	ショップ	98	想像
52	京都	102	表裏
56	ドイツ車	104	シーズンテーマ
58	テキスタイル	110	家具

114	うつわ	156	たまご
118	風	158	トリバッグ
122	ちょうちょ	162	記憶
126	ラクガキ	164	ドット
128	手紙	168	パターン
130	直感	172	ピース,
132	ドローイング	176	アーカイブ
136	フィンランド	180	2010年
140	既製服		
142	機能	185	テキスタイル 1995-2010
144	パリ	202	ミナ ペルホネン年表
146	蚤の市		
148	反復		
152	ミニバッグ		

日常

ファッションは、自分の人生における時間の中で、自分を心地良く過ごさせるもの。自分を認識させ、自分の心の歩調に合わせるものだと思う。自然の環境や四季に合わせ、感情を込めたデザインを続けたい。着ると心がふわりと軽くなり、より自分（ミナ）らしく過ごすことができる。そんな「特別な日常服」をテーマに、服づくりを続けている。

風に乗った花の香りのようにほんのり心地良いもの
おいしい水のようなもの
無自覚に心地良さを受け取れるもの
心をふるわせるような生命力のある景色のようなもの
心地良く、幸福感を持たせるもの
散歩の途中に
路地の角を曲がると垣根に野バラが咲いていて、
その日の心地良い空気の中に
出会いの喜びが感じられるようなもの
普通であって生命を感じるもの

美しい生命のかたちは静けさと華やかさを持っている。既成概念への気づきから、新しい視点を持ち、そこから生まれたデザインが生活へと戻るようなサイクルでものづくりを続けていけたらと思う。

変わり続けることを
ずっと変わらずにすること。
変わらないでいることが
変わったことになること。

見えても見えなくても窓の向こうには富士山がいる。

アトリエ(白金台)

皆川 明によるデザイン画

遠くを見ているように描いていた。

時

朝の8時50分。ミナ ペルホネンのアトリエは掃除からスタートする。デザインルームにはまず一杯ずつのコーヒー。窓ガラス越しに見下ろす自然教育園の広大な森は、晴れた日も、雨の日も、目を楽しませてくれる。
アトリエの日常は決して時間のゆっくり流れる静かで穏やかなものではない。時間いっぱいに仕事を続け、スピーディで確かな仕事が求められる。台風のような毎日の中、ぽっかりと訪れる台風の目、静かな瞬間を上手に見つけなくては。スタッフ一人ひとりが、きっとそんな気持ちで毎日を過ごしている。

ミナ ペルホネンのものづくりには、一方でいつも時間が傍に寄り添うようにある。デザイナーが一枚の図案を描くのに幾日もかけるように。速度が遅い、古い織り機で、ふっくらとやわらかな生地を織り上げるように。ほんの5センチ四方の刺繍を、一本の針が一時間かけて施していくように。時間をかけることがすなわち価値なのではなく、クリエーションに必要な時間をかけた仕事には、それだけの密度や濃さが生まれ、そこに生命力が生まれるのだと思う。

時間の経過は財産になる。小さな一歩を積み重ねたら、かけた時間の分が活動の集積となる。ミナ ペルホネンのように小さな歩みを続けるブランドにとって、時間の経過は大きな味方だと思う。大規模な生産量の継続には最初から興味がない。小さな規模を長い時をかけて継続していきたい。また私たちは、ひとつのデザインを幾度も繰り返し生産できるようにデザインの資料をできるだけ残している。工場ともつき合いが長くなるほどにデザインを復刻できる可能性が広がる。素材を変え、配色を変えて同じデザインをリピートしてつくり続ける。そうすれば、一度に大量に生産していなくても、時間をかけて多くの人に同じデザインを届けることができる。それが、時間のもうひとつの価値となって私たちに味方してくれる。

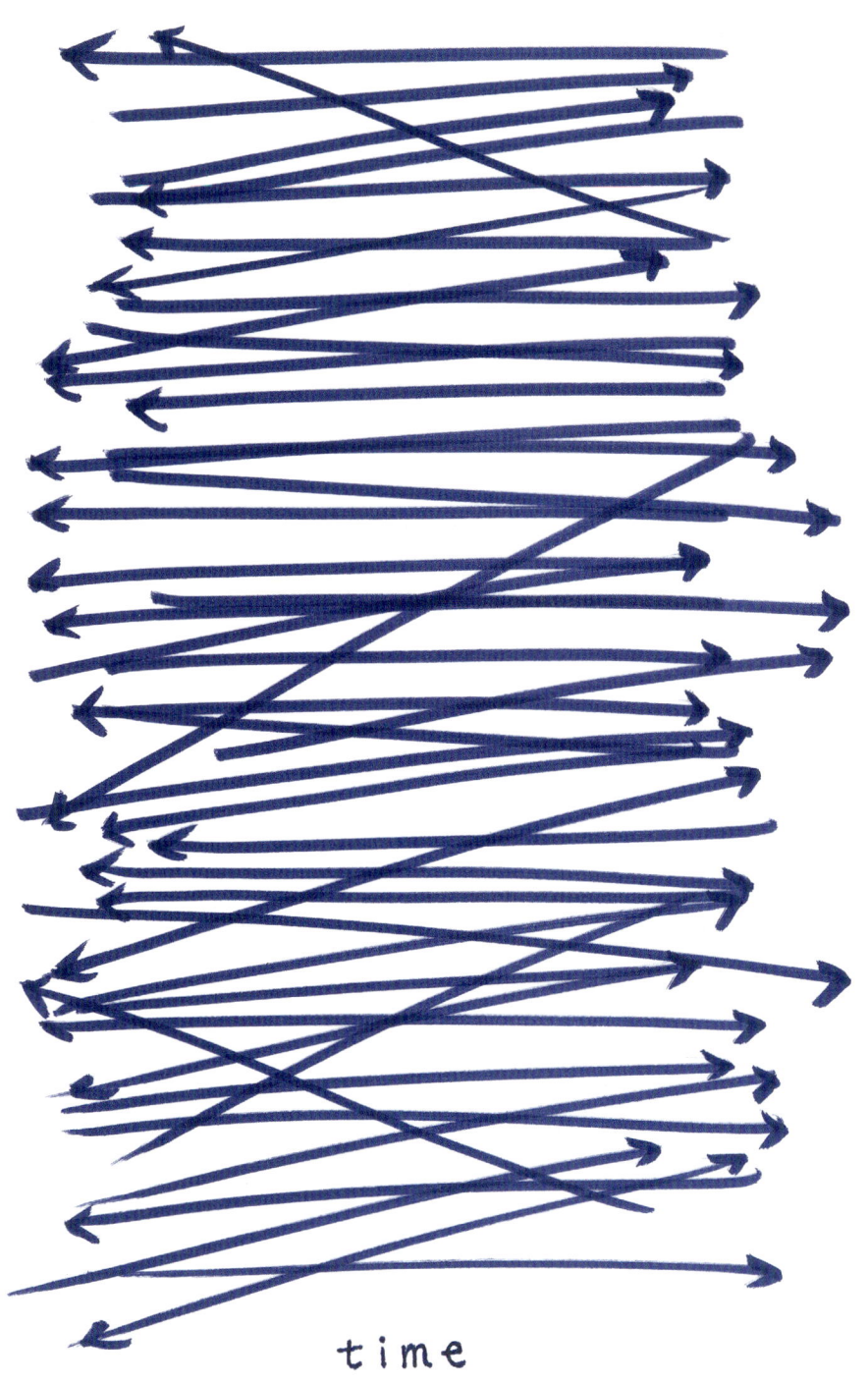
time

1995年

1995年の5月、皆川 明が八王子に自宅兼アトリエを構えて「minä（ミナ）」を始めた。始めてすぐの半年後に、当時武蔵野美術大学でファッションを学んでいた長江 青が手伝いに加わった（長江は大学の講師だったテキスタイルメーカー「みやしん」の宮本英治氏に連れられて魚市場に皆川を訪ねて「ミナ」を知る。皆川による最初の刺繍柄「hoshi*hana（ホシハナ）」に引き込まれるようにミナに通い始めた）。最初は、車に洋服を乗せて街に出かけ、素敵なお店だと思うと飛び込みで洋服を見てもらった。お店にいつもバイヤーがいるわけではないことや買いつけのタイミングが通常はシーズンごとに決まっていることを知らないほど、ファッションの常識には疎かった。自分なりにいいと思った洋服を持ち歩いてもオーダーにつながらない。この状況を抜け出す道は見えなかったが、悲観はしていなかった。うまくいかないなとは思っていても、やめようとは思わず、自分たちの洋服がもっと多くの人に受け入れてもらえるはずだ、という希望の光を、ほんのわずかに感じていた。2000年春夏の図案「bird（バード）」が生まれるころまでは、本当に数店舗、決して多くはない数のお店との貴重なおつき合いやつながりをやっと持てているころで、ビジネスとしてやっていけるという自信はまだ持てていなかった。

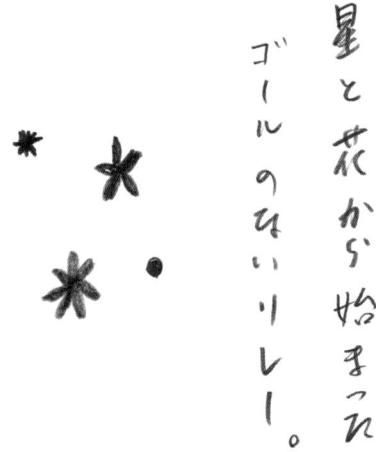

星と花から始まった ゴールのないリレー。

hoshi*hana 1995 s/s

初期のころのアトリエ（八王子）

六畳＋四畳半＋台所、白と茶のブチ猫、越路吹雪、浅川マキ、ミシン、近所の仲間長江青、菊地敦己、そして私。それは始まりにしては最高の場所であり最強の味方。見えない未来を突っ走れたのはそうゆう（ママ）理由だった。そこには感謝は尽きない。偶然を必然に変えてもらった。

flower 1996 s/s

青

2001年秋冬コレクションで生み出した「angel（エンジェル）」や「roof（ルーフ）」といった洋服に用いたのは少しくすんだブルー。ミナ ペルホネンの中で、このグレイを帯びた青は象徴的に使われることの多い色だ。ミナ ペルホネンのブルー。ときにはイヴ・クラインの生み出したブルーのように、気持ちが高ぶるような激しいコバルトブルー、そして軽やかに浮遊するスカイブルーなど、さまざまな青がデザイナーの感情を豊かに表現してくれる。

sonata 2010-11 a/w

私は青を見分けるのが得意だと思うし好きで。

青には空間を感じる。描いているだけでうれしくなる。

原画。指の腹で一面にブルーの花を描いた。

roof 2001-02 a/w

angel 2001-02 a/w

ringo 2001 s/s

carnival 2003-04 a/w

snowberry 2004-05 a/w

mermaid 2000 s/s

orbit 2008 s/s

lake 2001 s/s

minä perhonen tartan 2003-04 a/w

Fujisans 2004 s/s

petal 2007 s/s

黄色

黄色は光の代わりに使われる色。スポットライトのような存在としてたびたび登場する。

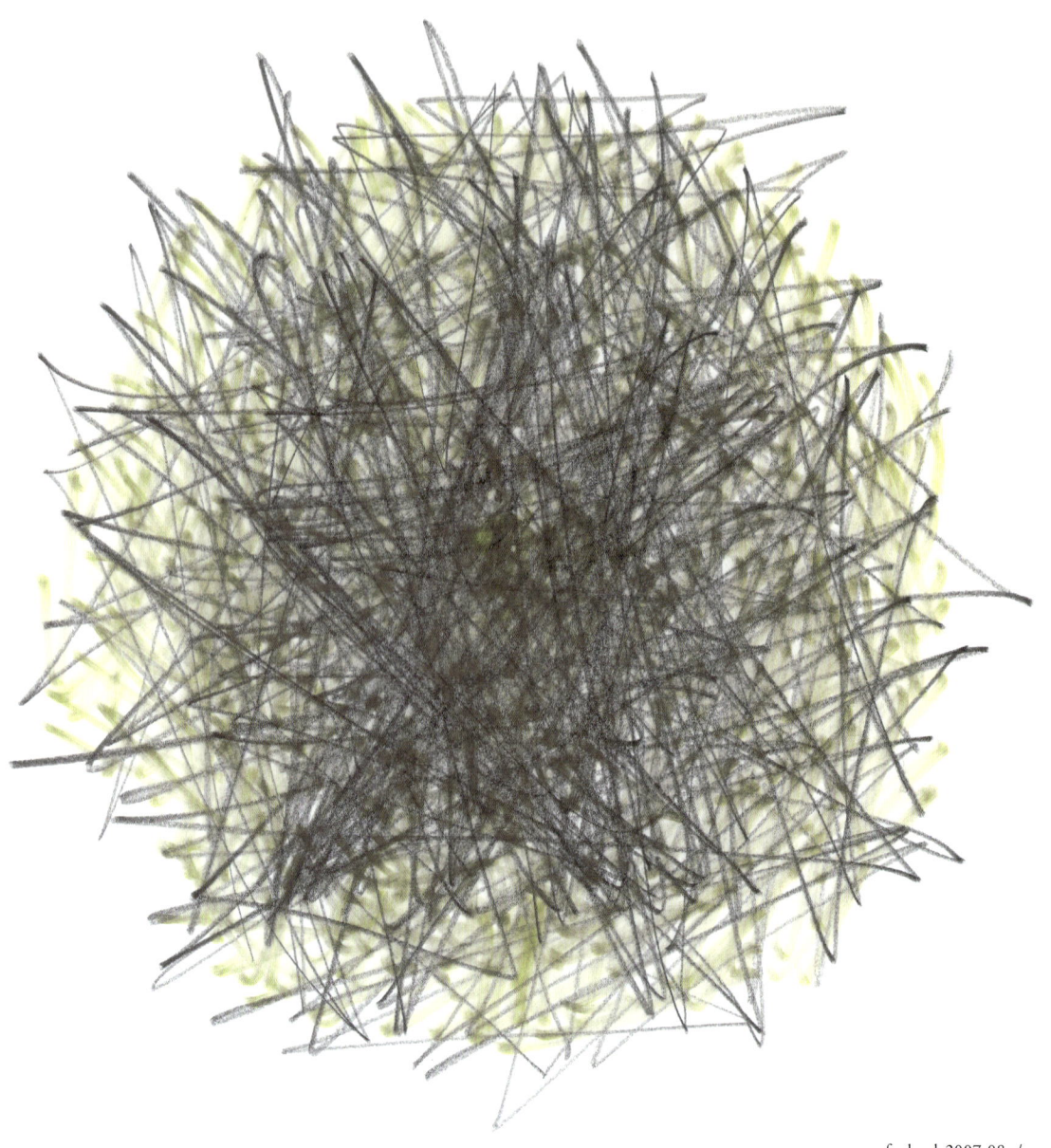

fogland 2007-08 a/w

joy 2005-06 a/w

quiet 2005-06 a/w

petal 2005 s/s

sparkler 2007-08 a/w

merry 2005-06 a/w

puu 2005 s/s

ripples 2006-07 a/w

forest wing 2008 s/s

shirley 2008 s/s, Men's

sprout 2004 s/s

ソーダウォーター

テキスタイルの細部に、想像やユーモラスな思いつきを伝える小さなメッセージをそっと潜ませる。洋服を着る人が後でその仕掛けに気づいてくれたとき、クリエーションの発信者と受け取り手がつながり、テキスタイルに込めたデザイナーの内面は共有される。

2000年に発表した「soda water（ソーダウォーター）」は、ソーダ水の中で泡がはじけていくようなドットモチーフ。裏コンセプトは「not dot（ドットではない）」。独立したドット（丸）はひとつもないのに、このテキスタイルを見た人の目はドットモチーフを感じるのではないか——人がものを見るときに働く想像力をデザインに取り込もうという気持ちでつくった柄だ。

「ソーダウォーター」には、「ドットではないけれどドットです」ということをさりげなく伝えるために、近寄って見つめれば一つひとつの丸（ドット）が見分けられるよう織り方に工夫をした。丸一つひとつの綾目（織りによる斜紋）を変えて、ドットによって綾目の右下がりと左下がりを区別しているため、実際にはドットの境目が生まれている。光を受けた布の、ドットの一粒ひと粒にかすかな光沢の違いが現れる。着ている人が、いつかふと気づくぐらいのささやかな細部にこだわっていきたい。

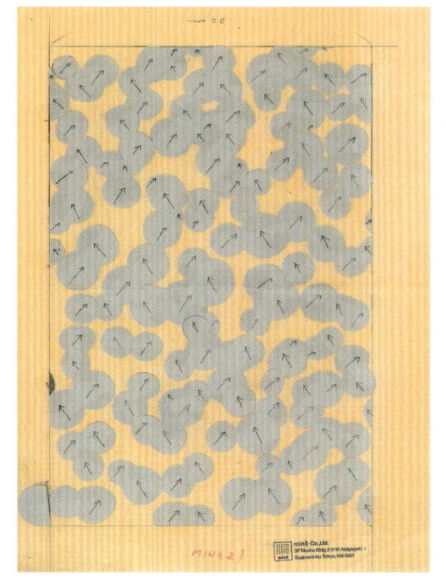

綾目の指示書

タンバリン

小さなドットが集まり輪をつくる「tambourine（タンバリン）」は、2000年秋冬の発表以来、繰り返しコレクションに登場するミナペルホネンのスタンダード柄のひとつとなっている。洋服だけでなく、椅子の張り地となったり、インテリア用のファブリック柄としてデンマークのテキスタイルメーカーkvadrat（クヴァドラ）社に採用されたりと、長い時をかけて幅広く、多くの人々の手に触れられてきた。これからもずっと、ミナペルホネンの中心的な存在であり続けるだろう。
「タンバリン」の円を構成するドットの連なり、そして円と円が隣り合い並ぶ様子は整然としていながら、円は正円ではなくフリーハンドで描いた円であり、円の縁に配置されたドットの間隔は不均一で、ドットそれぞれの刺繍のふくらみや形には微妙な違いがある。人の体が実際には左右対称ではなく非対称であるように、不均一であることは私たち人間にとって自然なのではないか。目は無意識のうちにその自然を受け入れ、心地良いと感じる。普遍的なものは、そのように自然な感覚の内にあると思う。私たちのデザインにも、自然な感覚が持つ愛らしさを表現できたらと考えている。

かすかに呼吸してそこに佇んでいる
様なレリーフの柄を描いてみたかった。
一粒、一粒描きながらなんだかずっと
付き合いそうな気配を感じて高揚する
感覚を今でも覚えている。
それは的中した。
私自身もこのタンバリンという柄に
出会ったのだと思う。

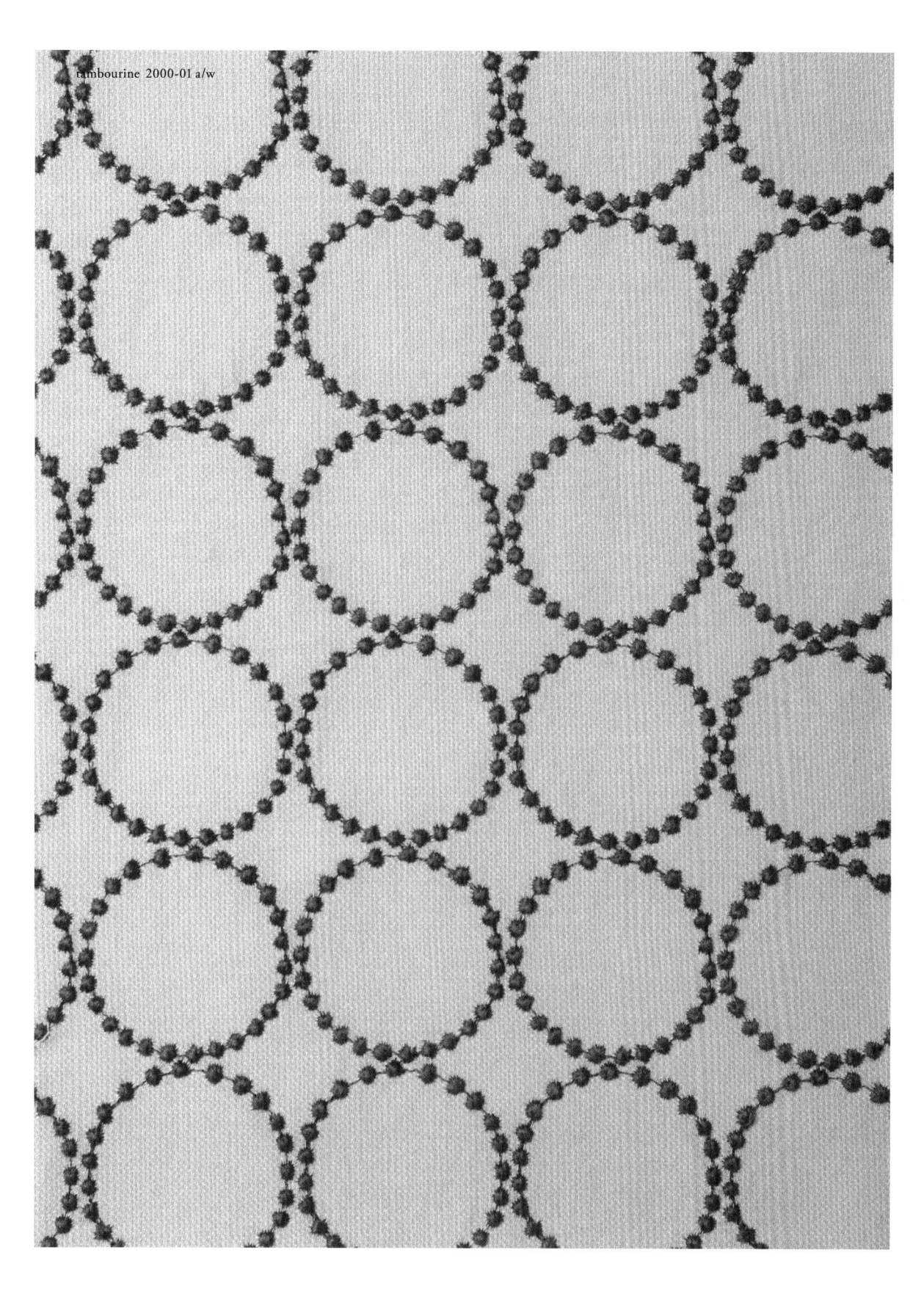

tambourine 2000-01 a/w

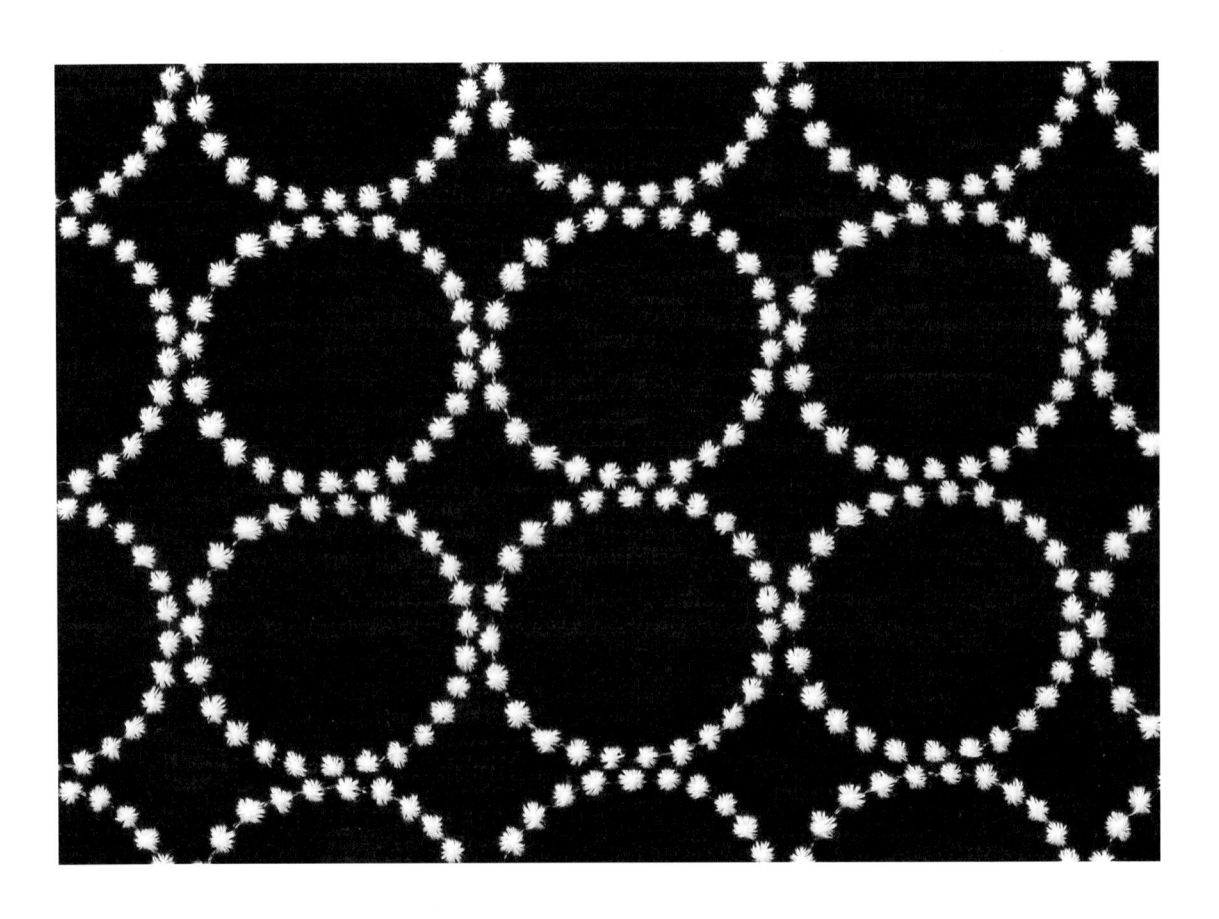

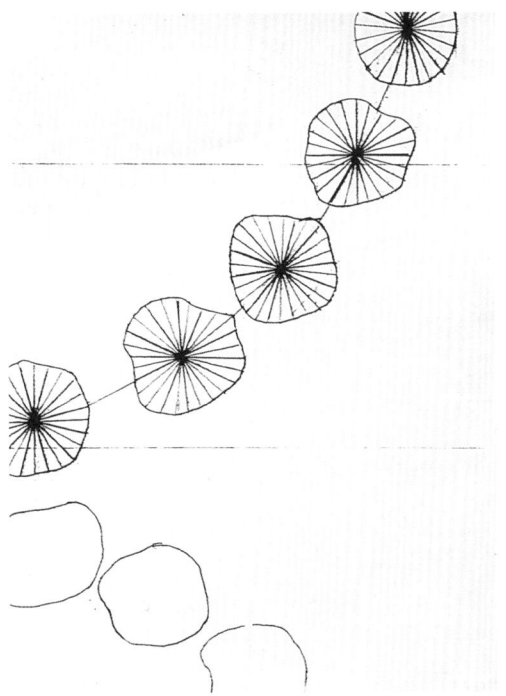

ドットひと粒ずつの形状を実寸の6倍の大きさで刺繍機にプログラムする。

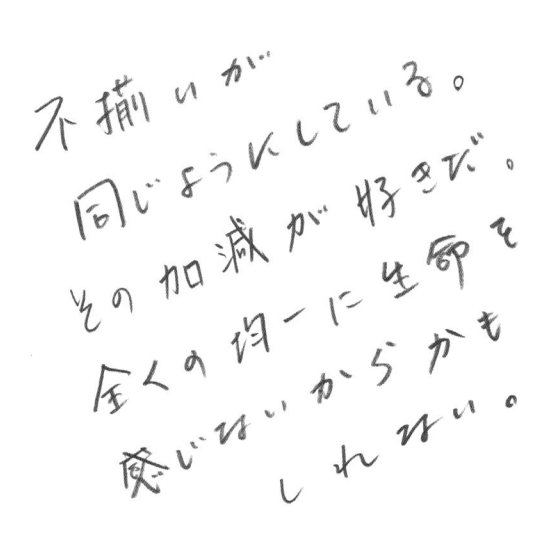

不揃いが
同じようにしている。
その加減が好き。
全くの均一に生命を
感じないからかも
しれない。

「タンバリン」(2002-03 a/w) のコートとエッグチェア (フリッツ・ハンセン社)

印刷物

コレクションを発表する展示会の案内状は、封を開けたときに喜びや驚きがあるものがいいと思う。細長いパッケージの端からインビテーションを引き出すと、先っぽにスタッフが一つひとつ結わえたリボンがついていたり、「マスキングテープによるチェック柄」を印刷した封筒の表面に、一か所だけ、手でテープを貼りつけた箇所があったり。「ある小さな村のお祭りの一日」をテーマにしたシーズンには、パッケージについている紐を引っ張って一部のふちをちちちと切り開けると、中からコンフェッティ（紙吹雪）のように生地の柄の断片がこぼれ落ちた。届けられた案内状に、何かひとつ、手が加えられていたり驚きがあったりすると、受けとった人たちと遠距離でつながるような気がする。

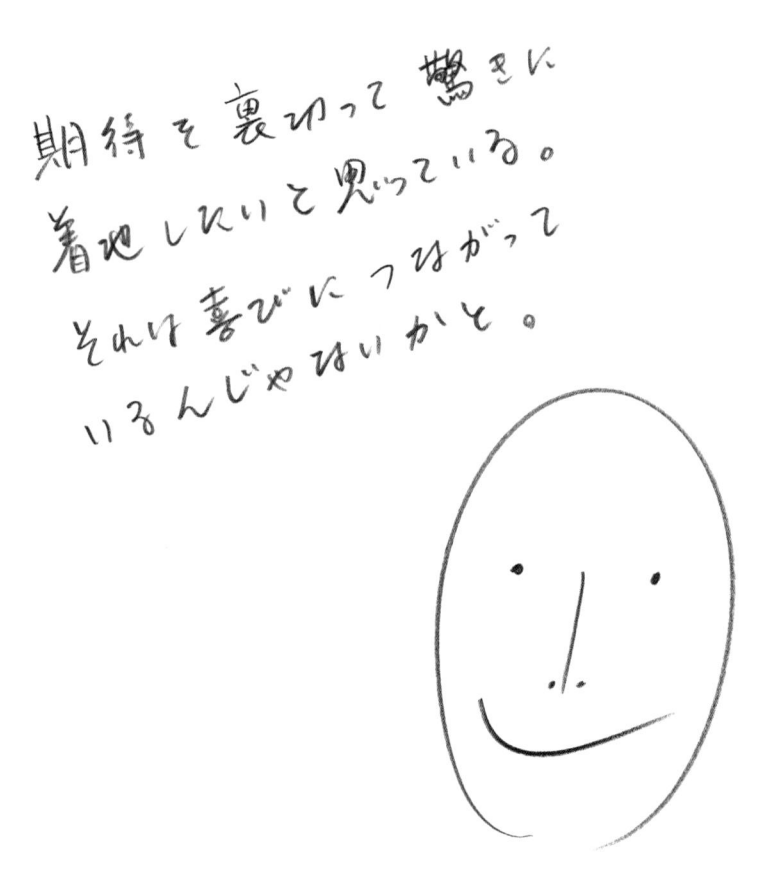

期待を裏切って驚きに
着地したいと思っている。
それは喜びにつながって
いるんじゃないかと。

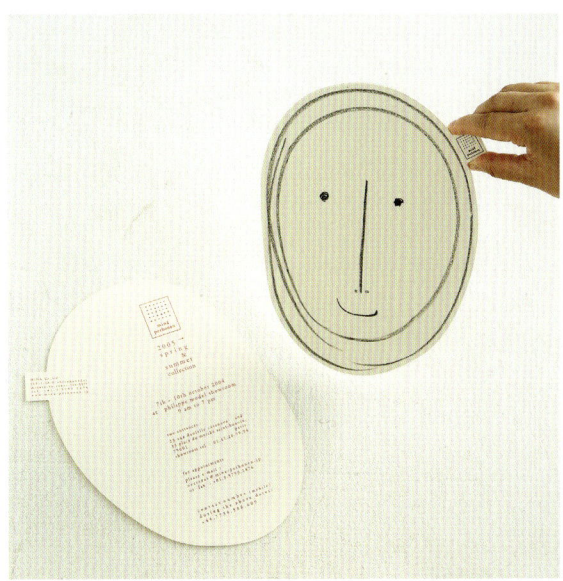

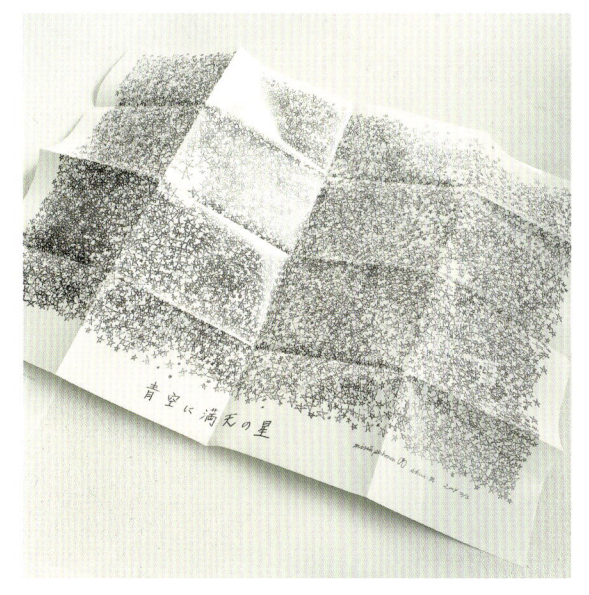

展示会インビテーション

左上　2004 s/s
右上　2005-06 a/w
左下　2005 s/s
右下　2009 s/s

2007年秋冬からつくり続けているシーズンブック「紋黄蝶」。

2007-08 a/w
AD/D: 菊地敦己

2008 s/s
AD/D: 仲條正義

2008-09 a/w
AD/D: 平林奈緒美

2009 s/s
AD/D: 立花文穂

2009-10 a/w
AD/D: 橋詰 宗

2010 s/s
AD/D: 副田高行

2010-11 a/w
AD/D: 須山悠里

自分達の中にあるものを外から見てみるということを紋黄蝶でやっている。

しぐさ

服がもたらすしぐさを思い浮かべながらデザインしてみる。スカートのフレアがまわりの空気を軽やかに揺らす歩き姿、タイトなシルエットのスカートを履いたときにスカートを突っ張らせながら歩く歩幅の小さな脚の運び、ジャケットのポケットに無造作に突っ込んだ手がつくる肘の角度、たっぷりと大きなフードを目深にかぶって寒そうに風を受けている様子……。洋服は人に着られて命が宿る。洋服のデザインがチャーミングな仕草を誘い出せるものであれたらと思う。

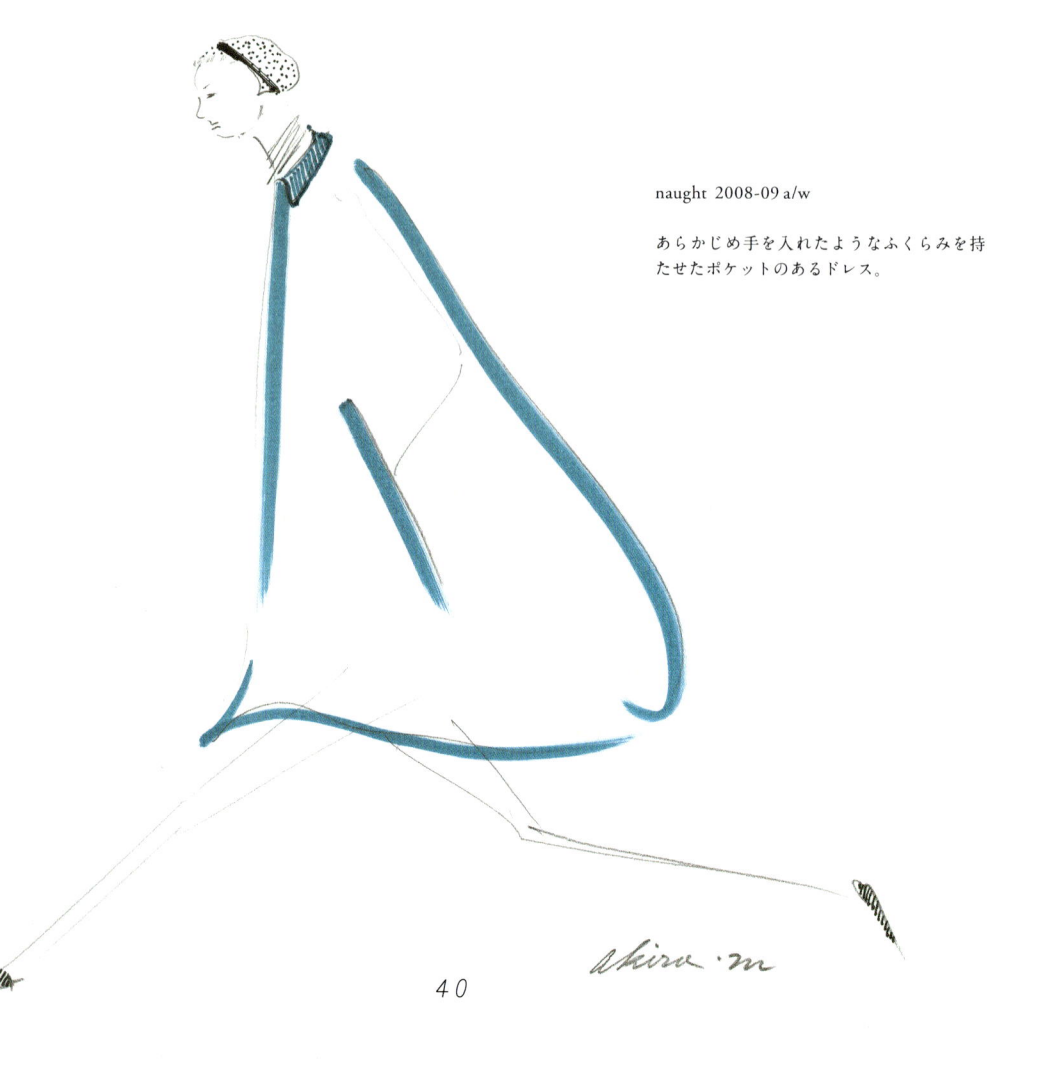

naught 2008-09 a/w

あらかじめ手を入れたようなふくらみを持たせたポケットのあるドレス。

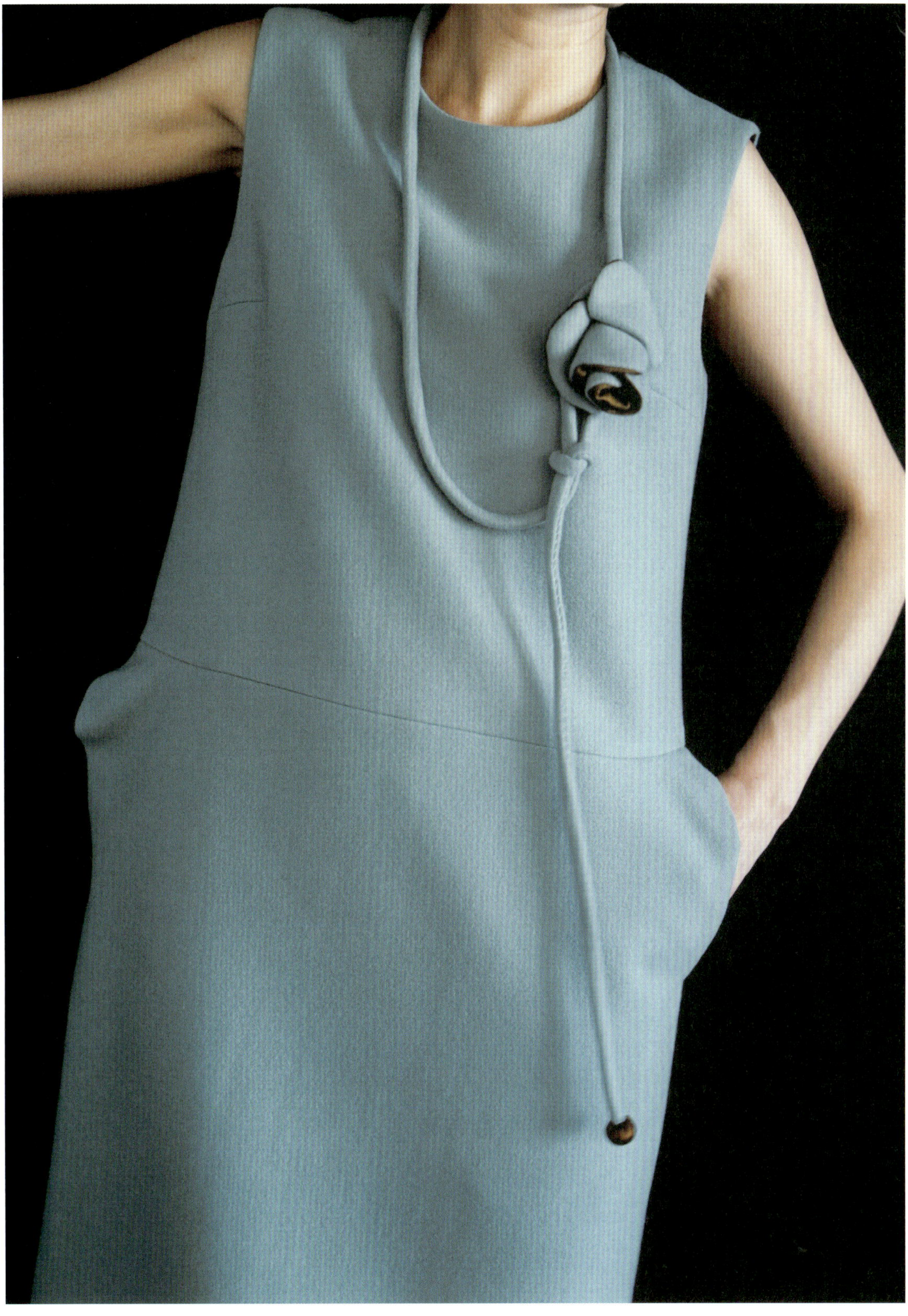

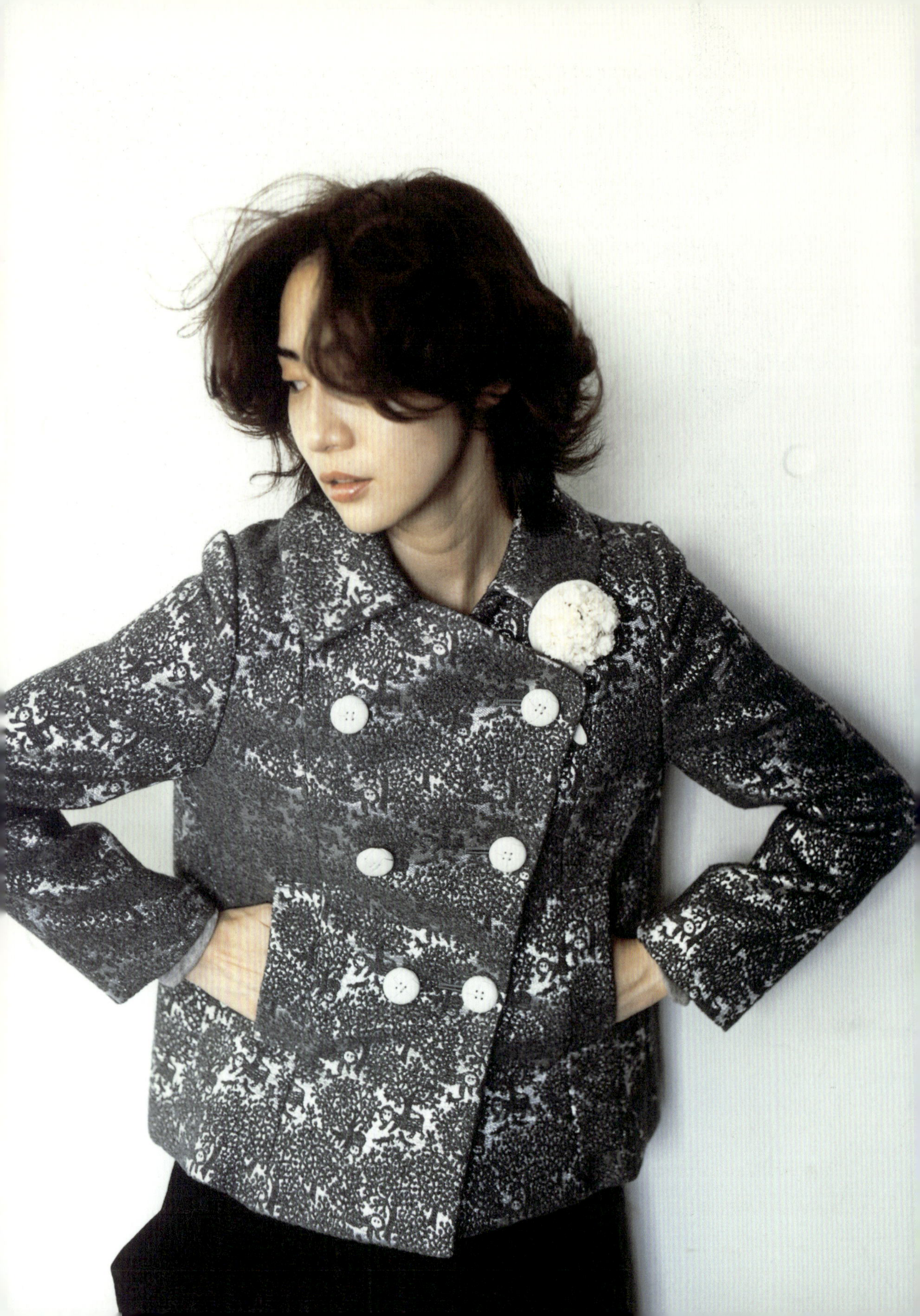

moon bear 2008-09 a/w

月明かりに照らされた森の動物たち。ジャケットのポケットは位置が高めで手を入れると腕がくっと曲がる。

travel 2000-01 a/w

座ることで描かれた動物が旅を始める。人の動きが柄に生命力を与える。

仕草と景色

貼り絵

貼り絵から生まれるプリントは、どんなに手間と時間をかけてつくった一枚の絵も、ひとたびプリントの版をつくってしまえば同じものを何度も生産できる点がおもしろい。貼り絵に使うのはたいてい自分たちで着色した紙。色紙をはさみで切り出し、または手でちぎってその一片一片を貼りつけてゆく。紙を手でちぎれば、ちぎられた紙の端に偶然のいびつなラインが生まれる。デザイナーの意図だけで完結しない偶然の表情が、貼り絵によるデザインの魅力だと思う。

貼り絵は、2002年にスタッフとして加わったテキスタイルデザイナーの田中景子が、特に好んできた手法だ。その理由は、入社当初の田中にとって、それまでの数年にわたり皆川がほぼひとりで描いてきた「ミナのテキスタイルデザイン」に対して同じ鉛筆や絵筆で取り組むよりも、紙を切り、貼りつけるというアクションを入れることで、よりひとつのブランドらしい表現ができる、と感じられたからだ。田中は入社後、初めて迎えたシーズンで「triathlon（トライアスロン）」と「birth（バース）」という貼り絵のデザインを発表した。「トライアスロン」は海を泳ぐトライアスロンの選手たちを主役に、波のうねりや選手が立てる水しぶきなどを無数の紙片で描ききった図案。皆川は当時の田中が、何日もかけてひたすら色紙を貼り重ねていた、そのデザインへの執着をよく覚えている。手間と時間をかけデザインすることは、デザイナーの思いの痕跡を残すことにつながる。

triathlon 2003 s/s

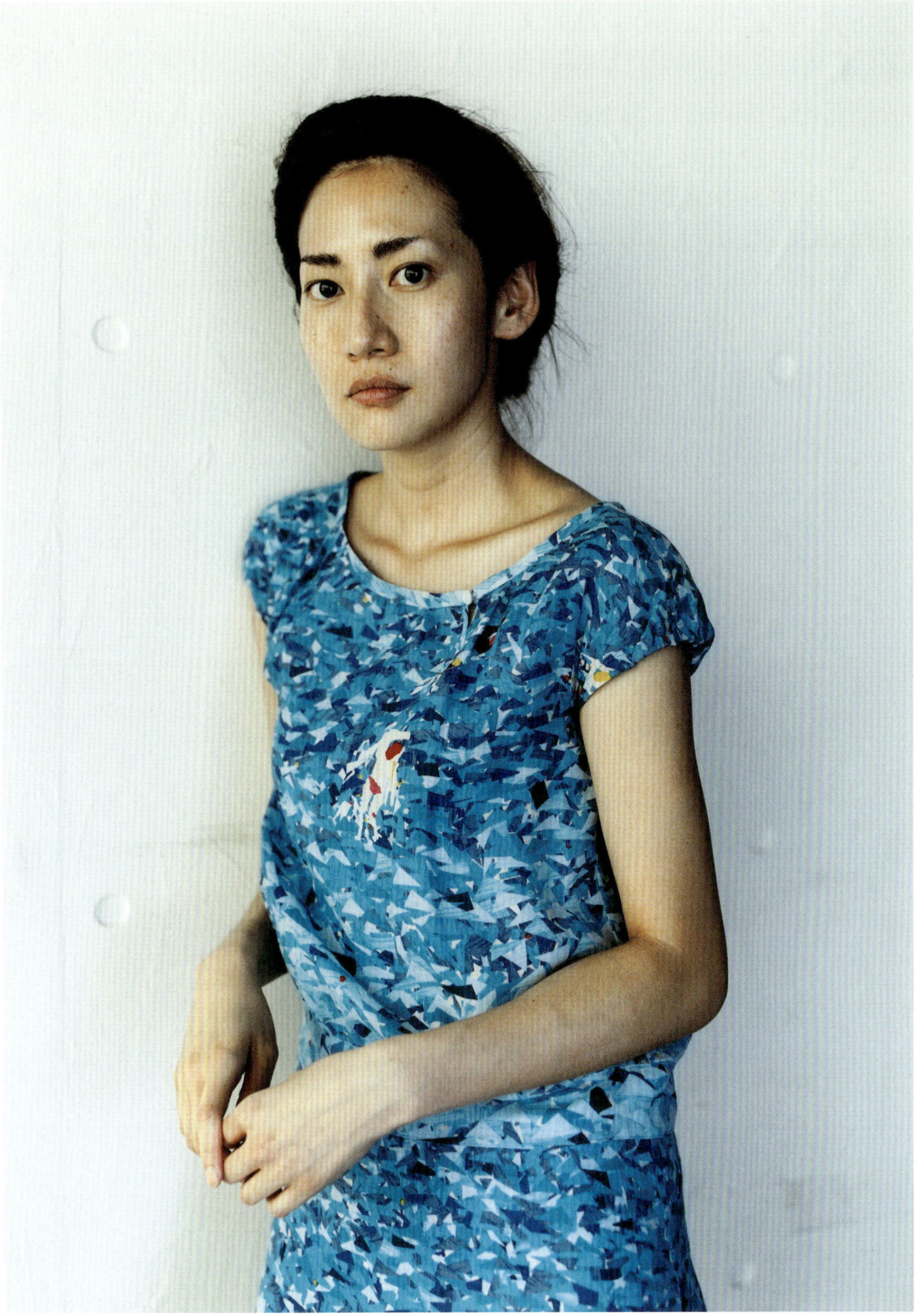

左上　Mrs. Cloud 2009 s/s
右上　fringe 2006-07 a/w
左下　surplus 2003-04 a/w
右下　turn around 2010-11 a/w

感触を確かめながらデザインと対話すること。
私たちには絶対に必要なことで。

triathlon 2003 s/s
camellia 2003-04 a/w
surplus 2003-04 a/w

原画

ショップ

ものから受け取る印象は、そのものにかけられた愛情と、周りの環境との相性で違う表情に見えることがある。だからこそ、自分たちでショップを持つことは夢だった。初めての直営店は2000年、白金台にオープンした。小さな裏道にある建物の3階、スペースをカーテンで半分に区切り、一方はアトリエに、そして一方をショップに。ショップは、お客様に、洋服に触れ、腕を通して、テキスタイルの手触りや柄の細やかな表現、重さや軽さといった印象の広がりを感じていただく場。その、人と服との最初の出会いがより印象的なものとなり、また、流れる時間を共有できる場となったら、と願っている。午前中は、音楽やお花、そこにあるすべてのものがミナ ペルホネンの空気となりお客様をお迎えできるように、と、午後の時間を想像しながら掃除や飾りつけをする時間。開演前の舞台裏のような気持ち。ところどころに散りばめられた、楽しく心を揺らしてくれる存在は、ショップオープン当初からの店長、石澤敬子のユーモアがもたらすセンス。

白金台に、コレクションラインを中心に、アーカイブやアンティークも並べるショップが生まれ、2007年には京都に、ふたつ目のショップを構えた。ほかに2009年にはアーカイブラインを扱う店舗「minä perhonen arkistot（ミナ ペルホネン アルキストット）」を、2010年にはスタッフによるハンドクラフトや洋服の余り布によるリメイクを扱う「minä perhonen piece,（ミナ ペルホネン ピース,）」を始めた。コンセプトの異なる3タイプのショップが東京と京都にそれぞれ1店舗ずつ。そのどれもが全く性格の異なる空間となっている。メインとして使われる床材や天井の材料には、木に限らず大谷石や革、銅板といった、時とともに風合いを変えていく素材が多い。風合いの変化を楽しむ。ミナ ペルホネンの洋服も、空間も、そのような、時を経て深みを増すものでありたい。

ミナ ペルホネン 白金台店

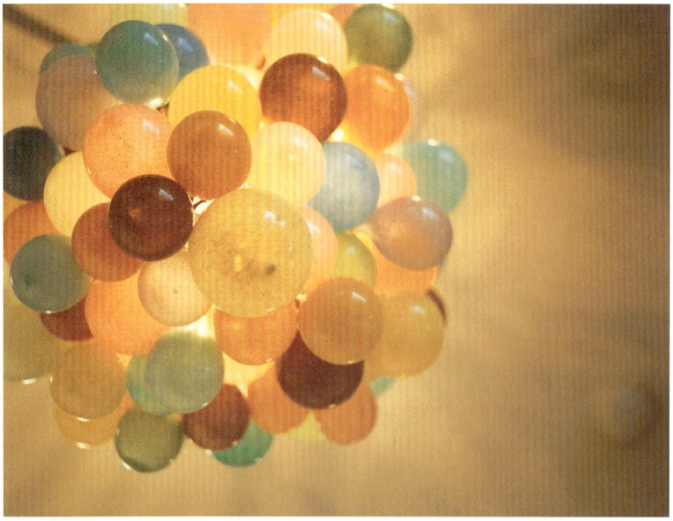

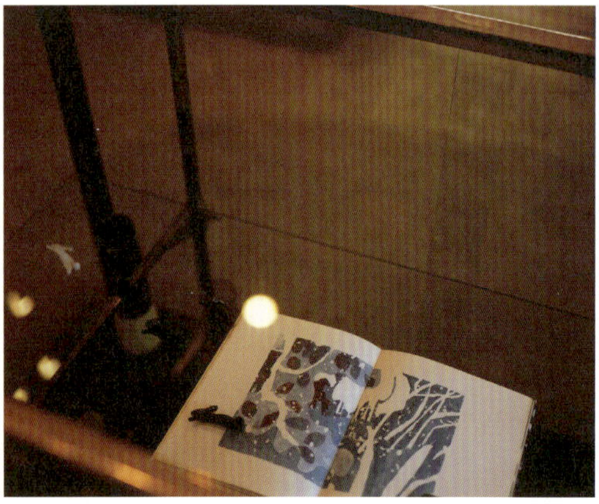

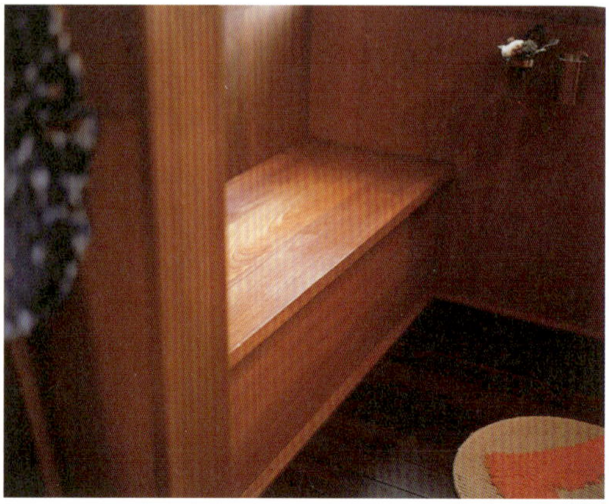

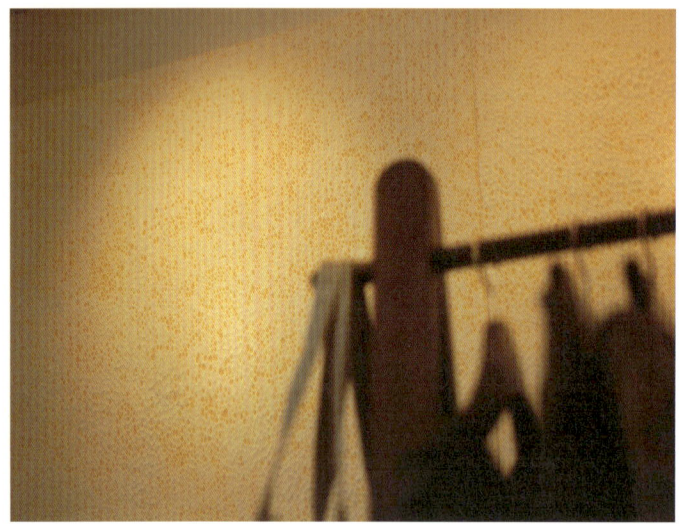

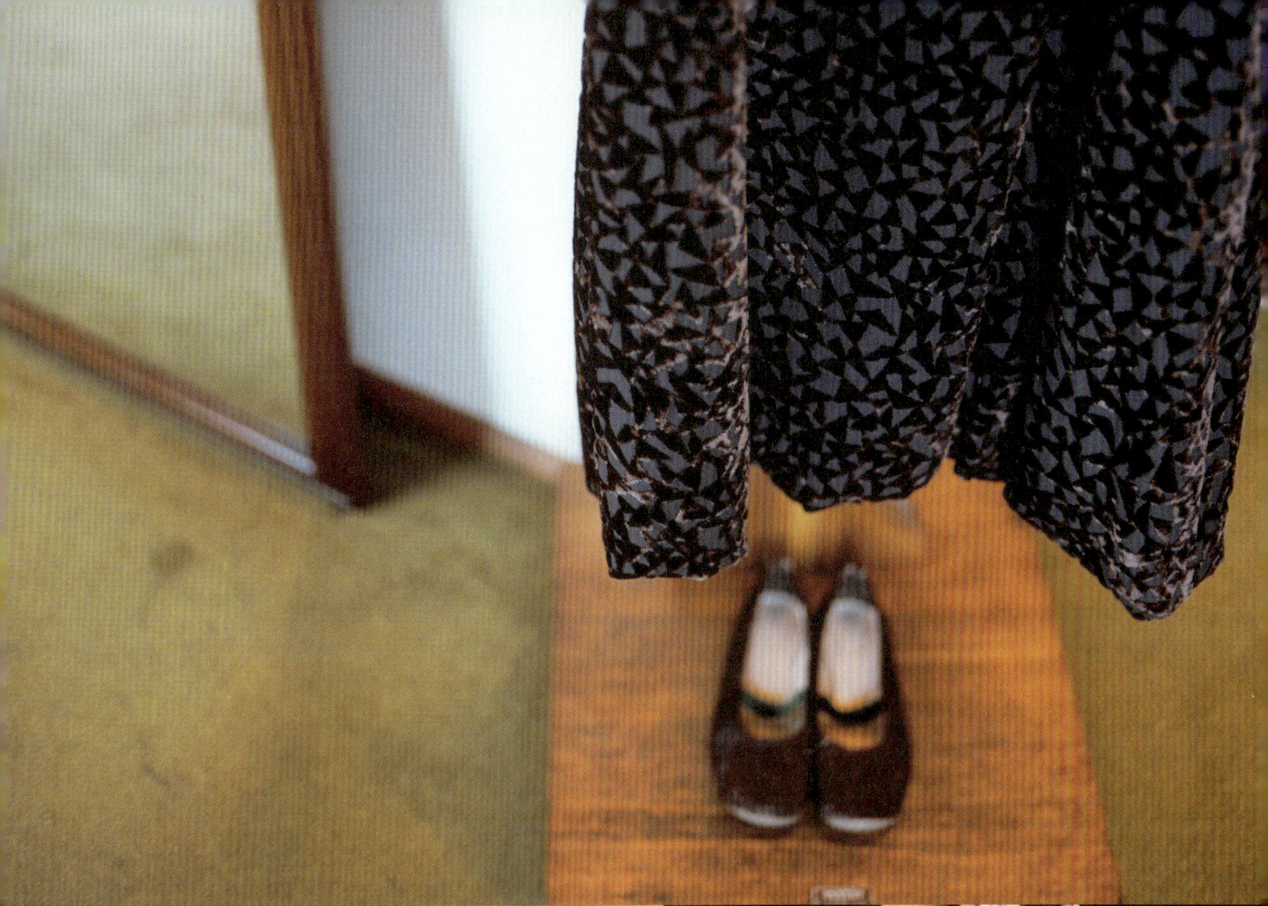

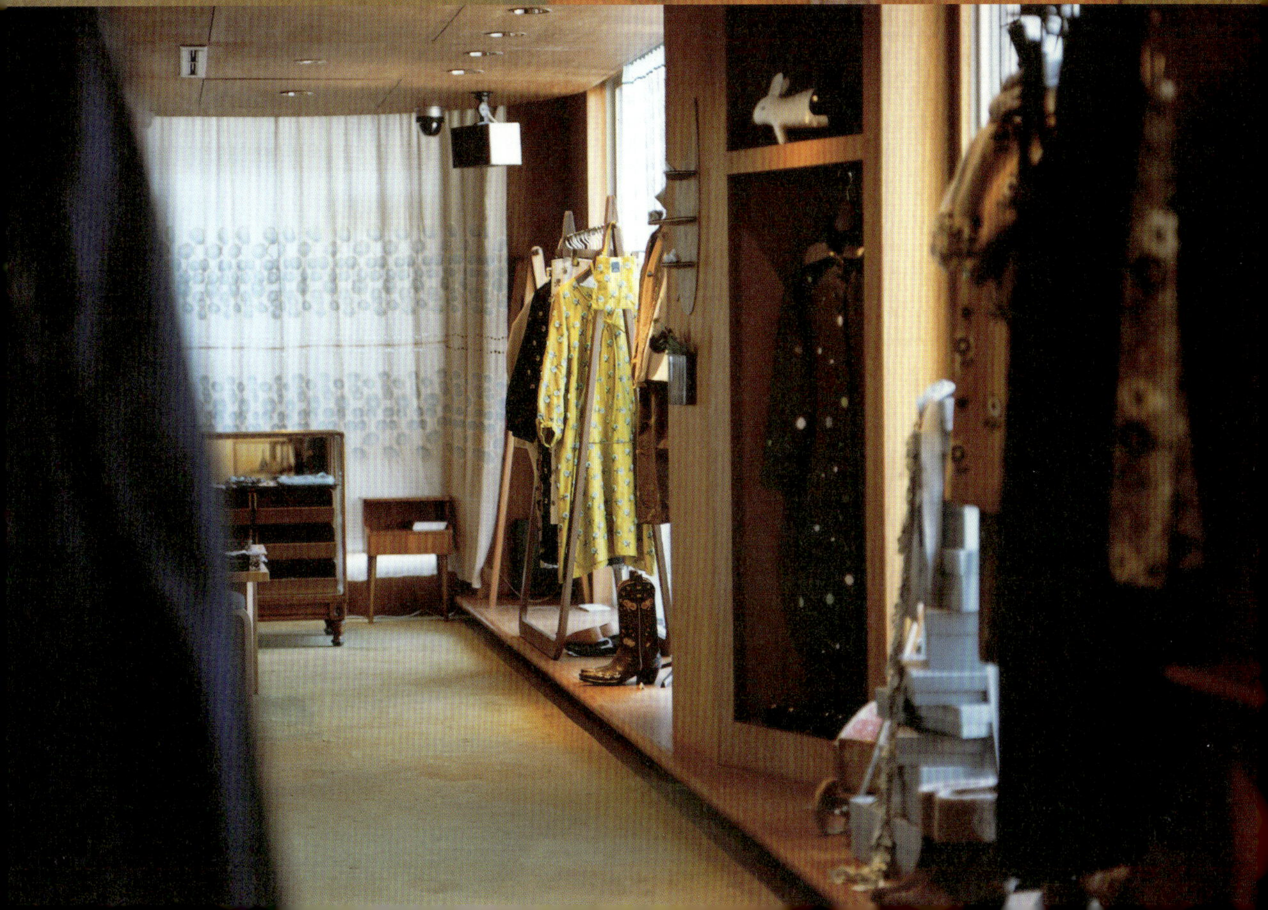

京都

京都は、ナショナルでありインターナショナルである場所。古来の伝統が息づきながら、常に観光地として、世界中の人々を受け入れ、両者のエネルギーが感じられる場所だ。2店目を置くならば京都に、と長く思っていた。ショップに足を運んでくれた人が、鴨川沿いを散歩したり、カフェでのんびりしたり、お寺を訪れたりとその土地の時間をゆっくりと楽しく過ごせる場所だから。見つかった「寿ビルディング」は、昭和2年に銀行として建てられたビル。以前から皆川が気にかけていたビルで、数十年ぶりに1階の路面スペースが空くという縁に恵まれた。大谷石と木を組み合わせた床に、約5メートルの天井高。道路に面して、販売用の生地をカットするガラス張りのスペースをつくった。そば打ち台のように、生地をカットするスタッフの姿をお客様や通りがかった人々が見られるつくり。このときに始まった実演販売のようなスタイルは、2010年に始まった「ピース,」の、「できたてのものをそのままお店に並べる」という工房を併設するショップへとつながる。皆川がずっと以前からよく口にしていた「ミシンを踏むアトリエと販売するショップ空間がひとつのところにあるお店」という構想が、京都でオープンしたショップ「ピース,」で動き始めた。

アイデアの滴がたくさんの人の
情熱で形として生まれて
この場所から巣立ってゆく。
店のデザインの実家のようだ。

ミナ ペルホネン 京都店

コレクションラインを置く京都店は5メートルの天井高と大谷石と木が組まれた床に穏やかな空気の宿る場所。鍛冶や木工によるやわらかな表現がもたらされた。

「アルキストット」は京都店と同じ寿ビルディングの3階に最初に生まれた。ミニバッグの受注生産を店内で行うスタイル。4階の「ピース,」へとつながるショップ内アトリエのコンセプトは京都の「アルキストット」に最初に持ち込まれた。

宿る。

ドイツ車

継続的に長く愛されるデザインを考えるとき、車好きの皆川がすぐに思い浮かべるのはドイツの車だ。ドイツ車メーカーによるデザインの中には、デビューから最新モデルまで、デザインを大きく変えずに長いスパンで生き続けているものが多い。長い時間をかけて改良を重ね、マイナーチェンジを繰り返しながらも、そのモデルのフィロソフィーを継承していこうという意志にあふれ、どのような車をつくっていきたいかというビジョンが貫かれている。定番というのは、装飾をそぎ落としたベーシックなデザインとは限らない。そのつくり手による意志の現れが一貫して感じられるとき、その意志に共感する受け取り手が、そのものを「定番」にしてくれるのではないか。

車に限らず、ものづくりの世界では多量な品種を生み出し、時代とともにその多くを廃止する、というサイクルが多い。私たちは、デザインに感情や想像を込めていくという自分たちの軸を継いでいくことで、過去に生み出してきたデザインすべてを手に携えて未来に向かい、長く生き続けることができたらと思う。

ポルシェの356(写真上、1956年)とその系
統を継いでいるモデル911(写真下、2008年)

テキスタイル

ミナペルホネンは、3着の服を「ミナ」として発表した最初のコレクションから変わらず、「布のデザインから服をつくっていくこと」を続けている。織りやプリント、刺繍といった手法を用い、手作業で描いた図案をテキスタイルで表現する。デザイナーの中に刻まれた記憶や想像がテキスタイルとなり洋服に仕立てられて人の手にわたるとき、「デザイナーの個人的な内面」が、着る人の共感を得て共有される。クリエーションの発信者と受け取り手の接点が、記憶や想像の共有にあるということが、大切だと思う。

これまでに生み出した図案は450以上。展開されたテキスタイルは1500を超える。さまざまな技法の発見から生まれたテキスタイル。なかには制作してくれた工場がなくなってしまい、またはより効率的な仕事へと方向転換することとなり、再生産が難しくなってしまった生地もある。できるだけ長い関係性の中でものづくりを続けたいという私たちの望みに反して、今の日本において繊維産業の状況は厳しい。

それでも自分たちが手がける生地は、国内においても海外においても、大量生産と生産効率を求めるのではなくて、求める表情と表現を実現できる手法と場を探し、つくり続けていきたい。そして生産者にとっても私たちにとっても、発見のあるものづくりを続けていきたいと思っている。

考える人もつくる人も使う人も喜べるデザインにしたい。皆に流れる時間がやりがいで満たされるものがグッドデザインなんじゃないかと思う。

刺繍工場、神奈川レースで仕上がった刺繍のほつれ部分などを補修する女性。見事なミシンの手さばきで、刺繍生地の仕上げを整える。

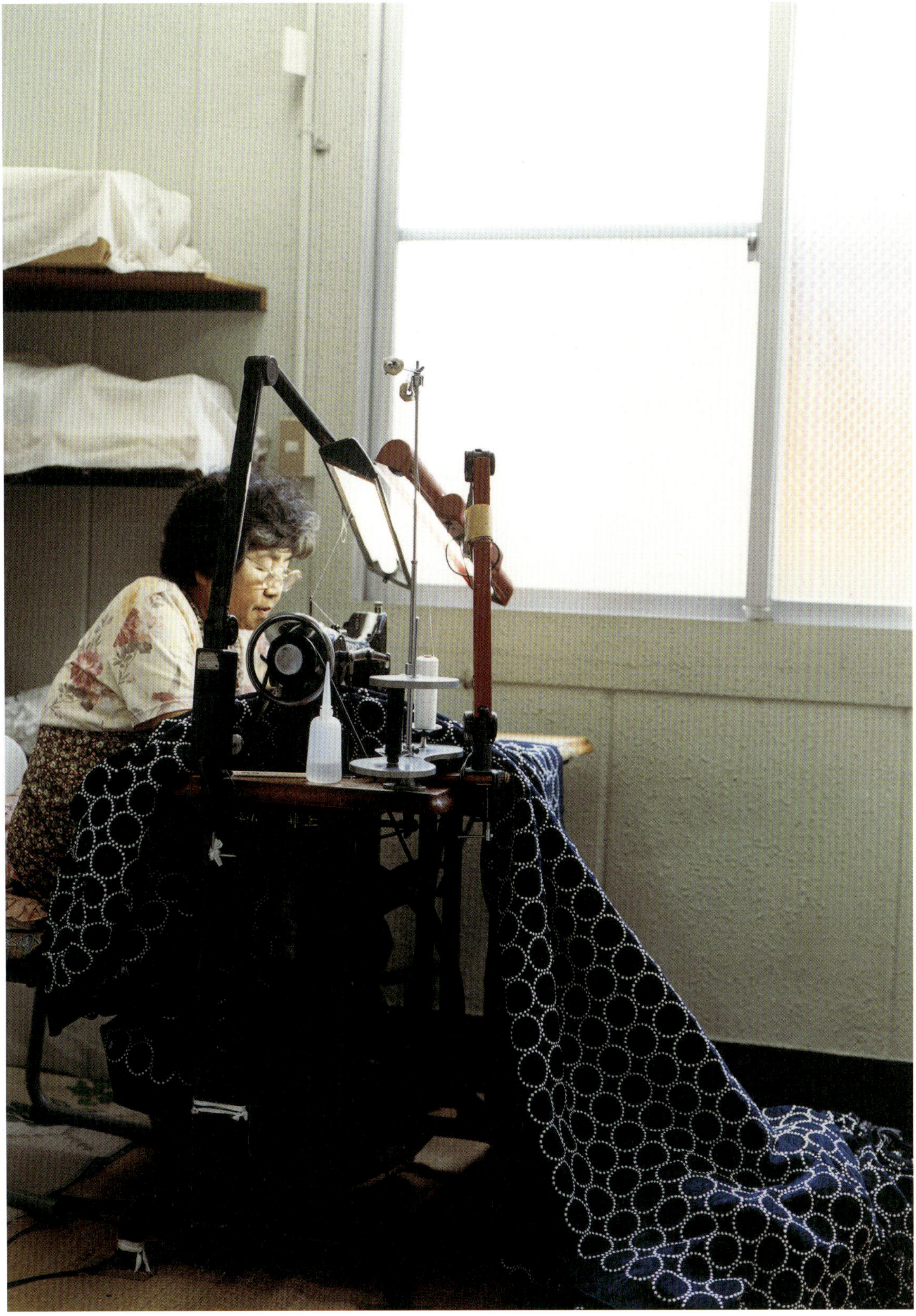

大原織物
皆川が「ミナ」を立ち上げ、自分の図案による布を織ってくれる工場を探しているときに出会ったのが大原織物の大原進介さん。当初、大原さんが、実績のないデザイナーからの、しかもとてもわずかな量のオーダーを引き受けてくれた。縦糸と横糸のシンプルな掛け合わせをあれこれ工夫して、ともに織りの可能性を追求してきた。「ソーダウォーター」(P.30)や「multistripe(マルチストライプ)」(P.149)といった生地が生まれたのもこの大原織物だ。ミナ ペルホネンが、以前より多くの織り手と関わるようになっている今も、この大原織物には毎シーズン新作を依頼している。

西田染工
西田染工に染めによるプリントを依頼するようになったのは2008年。図案の再現をどこまで必要とするか、手作業によるムラ感をどこまで生かし、どこを整理するか、その再現性に対する感覚が近く、信頼している。西田庄司さんは、難しい仕事でも最初から「できない」とは決して言わずに、問題点を明らかにしながら可能性を探ってくれる。西田さんは皆川の同世代。しばらく一緒につくっていけそうだという安心感もある。製造の現場で若い人材を育てることにも意欲的だから、ともに生産環境の質を向上し整え、ものづくりの技術や意識を積み重ねていきたい。

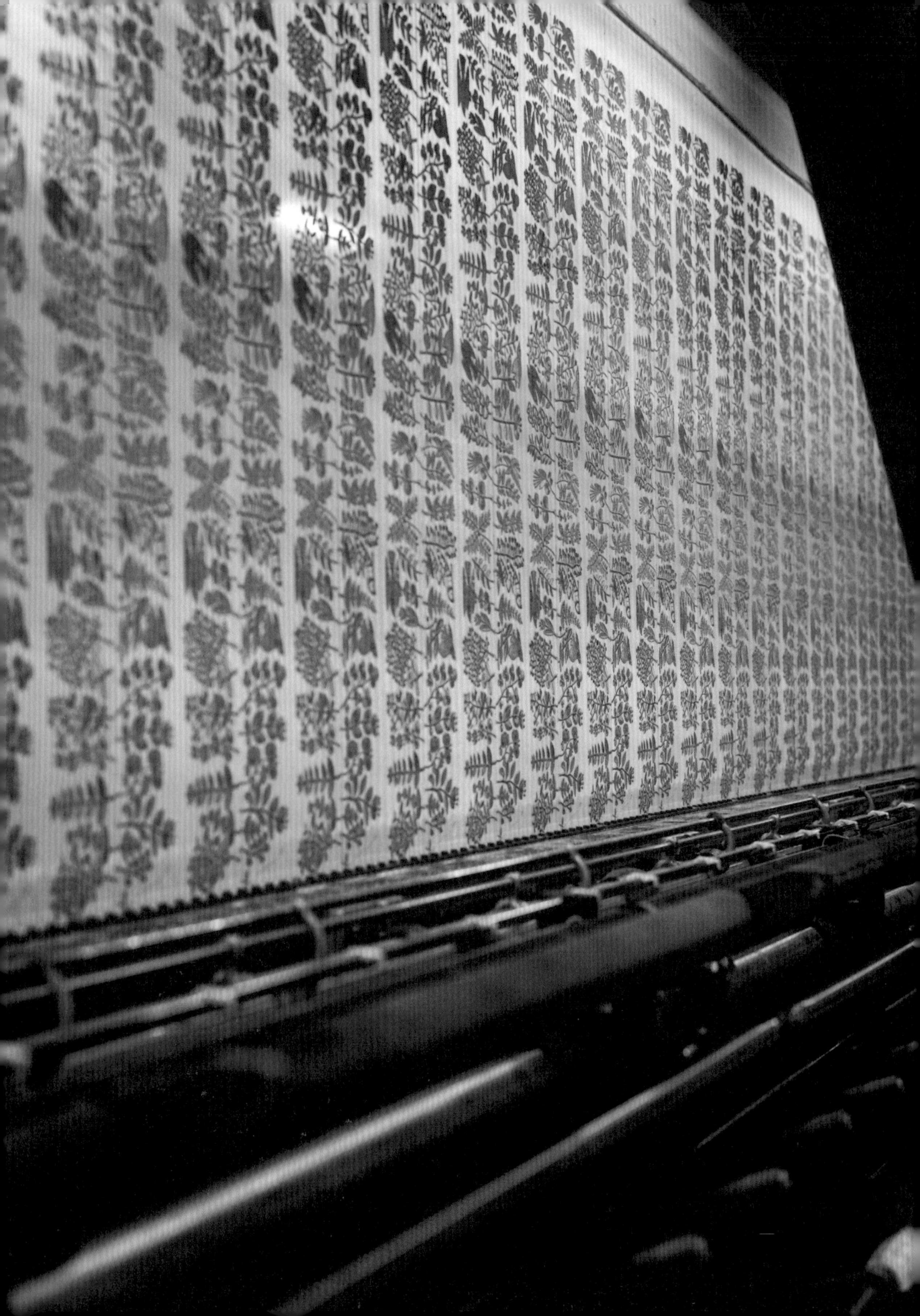

神奈川レース
皆川が「ミナ」を始める以前の、24歳のころから神奈川レースの佐藤敏博さんとはつき合いがあり、「forest parade（フォレストパレード）」（P.84）をはじめとするミナ ペルホネンの刺繍柄は主に佐藤さんとの共同作業でつくられている。ミナ ペルホネンの刺繍柄は、機械の時間を借りて、人の手による刺繍のようにじっくりと、しかし人の手よりはるかに効率よくつくりあげてゆく。佐藤さんはミナ ペルホネンからデザイン画が持ち込まれる日をとても楽しみにしてくれる。そしてデザイナーの思いを汲み取り、どのように針を運べば、その空気を漂わせるふくらみになるか、途中で針が折れたり糸が切れたりせずに、表現したい絵柄ができるかを想像しながら、ひと針ずつ手で打ち込んでプログラムをつくる。

> 僕らはものづくりをリレーしている。志を同じにして自分達の精一杯を足し算して形を目指す。いつか一緒にやってきたことを振り返りたい。

魚市場

良い材料を使わなければ、どれほど調理に手間をかけてもおいしい料理にはならない。腕の良い料理人は、同時に素材の目利きでもある。

ブランドを立ち上げてからの3年間、早朝から魚市場でマグロをさばき、午後から洋服をつくる生活を続けていた皆川。このときの経験から「素材選びが物づくりの要」と実感し、その後の洋服づくりのひとつの視点となった。

もうひとつ、「徹頭徹尾、最初から最後まで」。競りの際、競り落とす側はマグロのしっぽの肉質で善し悪しを判断する。体の先っぽの肉質が、体すべての「価値」を決めてしまう。洋服をはじめとするすべてのものづくりも同じ。どこかひとつでも手を抜いてしまえば、そこから品質への信頼は失われてしまう。クオリティの高い服をつくりたいならば、どの工程においても質の良い材料や環境を追求し、関わる人すべてがベストを尽くせるよう努力しなければならない。

夜明けは未来がなんとかなるんじゃないかと思わせる。

ものづくりの原点を見つけた場所。

皆川がブランドを立ち上げてから3年間働
いていた八王子の市場(写真は現在)。

本

　ミナ ペルホネンのショップには本がたくさんある。多くは皆川が買い集めてきた国内外の本。皆川には本の収集癖があって、ジャンルもさまざまに本がデザインルームの書棚に並ぶ。写真集や画集、詩集や小説。作品自体の完成度や美しさより、その作家の思いの方向性が見えたり、パーソナルな興味が大きく現れたりしているものに出合うと、ついうれしくなって買ってしまう。

　好きな詩集は『谷川俊太郎詩集』。1965年に出版された初版と新版のどちらも持っていて、5センチを超す厚みがあっても海外出張にも持ち運ぶ。ふとあいた時間に開いたページを少しずつ読むと、水を飲むようにすっと心に入ってくる。開高健の短編集『パニック・裸の王様』も思い出深い一冊だ。なかでも『流亡記』は絶望的な状況に置かれたひとりの男性の心にどっぷり入り込んだ。

　高校生のとき、初めて買ったアーティスト、ピエロ・マンゾーニの作品集は今もアトリエの書棚にある。大好きなチェコ・プラハに生きた写真家ヨゼフ・スデクの写真集は、ショップとアトリエの間をよくよく往復している。スイスでは、とてもきれいなシルクスクリーンによる蝶の妖精の絵本にひとめぼれして連れ帰ってきた。田中淑恵さんの詩集『ミモザの薬』も、その言葉の連なりの美しさに驚き、手元に置いて以来ずっと、大切にしている。

想像、記憶、逃避、
未来、郷愁、私。

リレー

クリエーションのリレーをしていきたい。関わる人すべてが、クリエーションに込めた意志を受け継ぎ、それぞれの受け持った区間で精一杯に力を尽くす。人から人へと受け継がれる仕事に価値があると思う。そのように、日々の仕事でもリレーをしていきたいし、ミナ ペルホネンの継続においてもリレーをしていきたい。

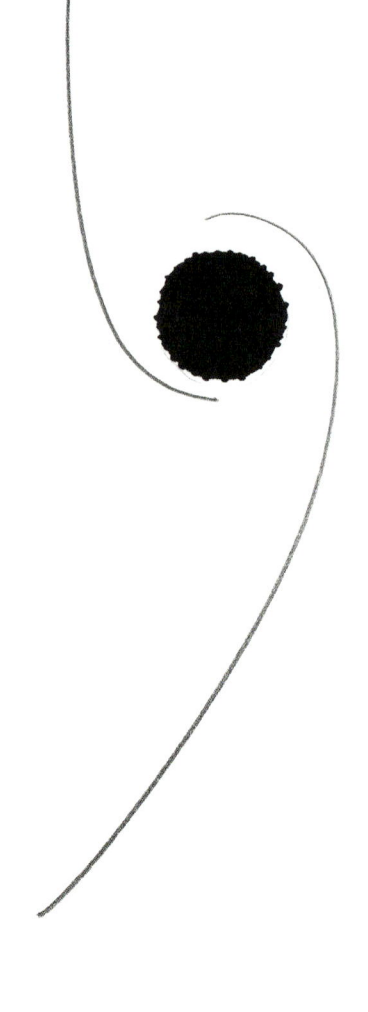

◎ 神奈川レース 佐藤様　　　01'3'8

お世話になっております。
下記の様に清書してみました。
ランダムなステッチの重なりで柄が
見えてくる様にしたいと思います。

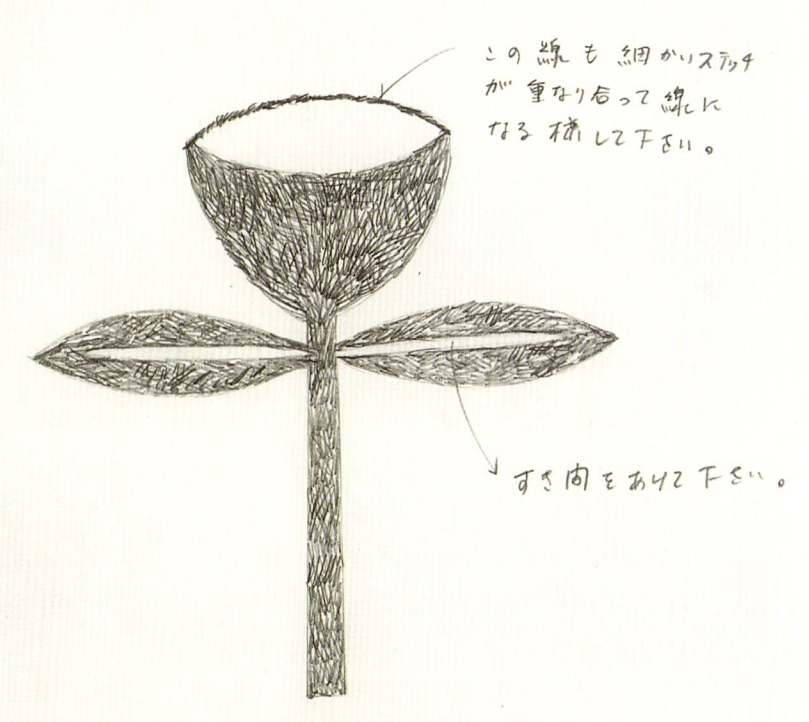

　　　　　　　　　この線も細かいステッチ
　　　　　　　　　が重なり合って線に
　　　　　　　　　なる様にして下さい。

　　　　　　　　　すき間をあけて下さい。

◎ ステッチのふんいきは 4色混合の
　　■■■ と同じで密度も同じくらいです。
今回この柄で案内状やポスターを作ります。
再チャレンジさせて下さい。
宜しくお願い致します。　　(皆川)

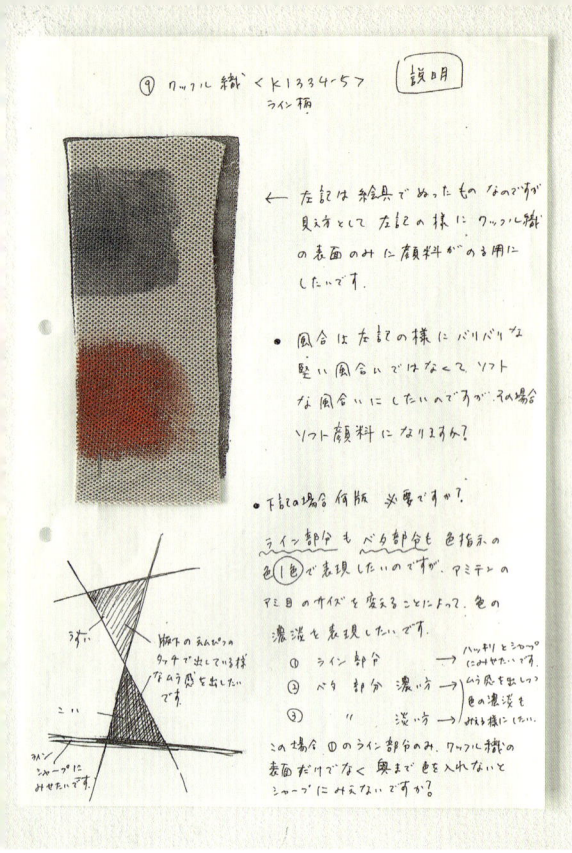

⑨ ワッフル織〈K1334-5〉 　説明
ライン柄

← 左記は絵具でぬったものなのですが
見え方として左記の様にワッフル織
の表面のみに顔料がのる用に
したいです。

・風合は左記の様にパリパリな
堅い風合いではなくてソフト
な風合いにしたいのですが、その場合
ソフト顔料になりえますか？

・下記の場合何版必要ですか？

ライン部分もベタ部分も色指示の
色1色で表現したいですが、アミテンの
アミ目のサイズを変えることによって、色の
濃淡を表現したいです。

① ライン部分　→ ハッキリとシャープ
　　　　　　　　　にみせたいです。
② ベタ部分 濃い方 → ムラ気を出しつつ
③ 〃 　　 淡い方 　色の濃淡を
　　　　　　　　　みせる様にしたい。

この場合 ①のライン部分のみ、ワッフル織の
表面だけでなく奥まで色を入れないと
シャープにみえないですが。

'04. 8. 17

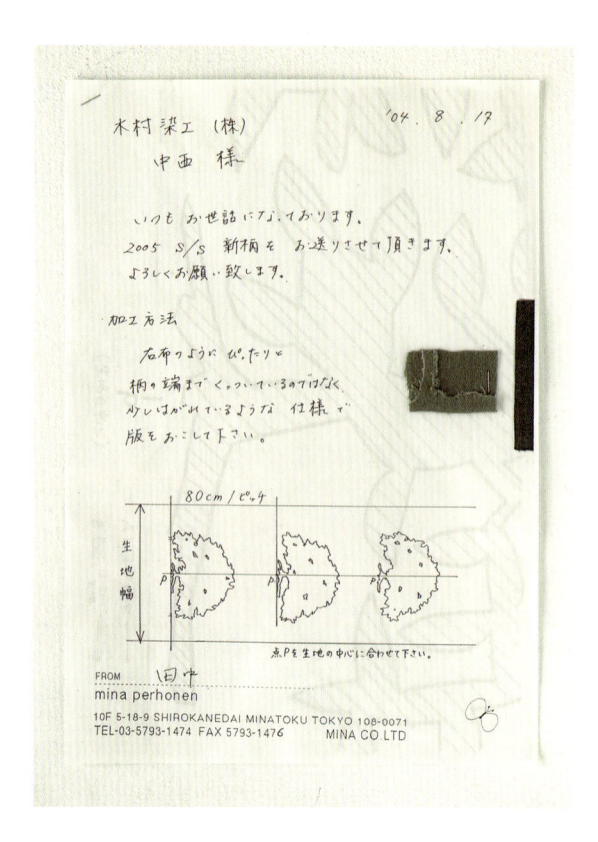

木村染工（株）
　中西 様

いつもお世話になっております。
2005 S/S 新柄をお送りさせて頂きます。
よろしくお願い致します。

加工方法
右布のように ぴったりと
柄の端までくっついているのではなく
少しはがれているような仕様で
版をおこして下さい。

80cm/ピッチ

生地幅

点Pを生地の中心に合わせて下さい。

FROM 田中
mina perhonen
10F 5-18-9 SHIROKANEDAI MINATOKU TOKYO 108-0071
TEL-03-5793-1474 FAX 5793-1476   MINA CO LTD

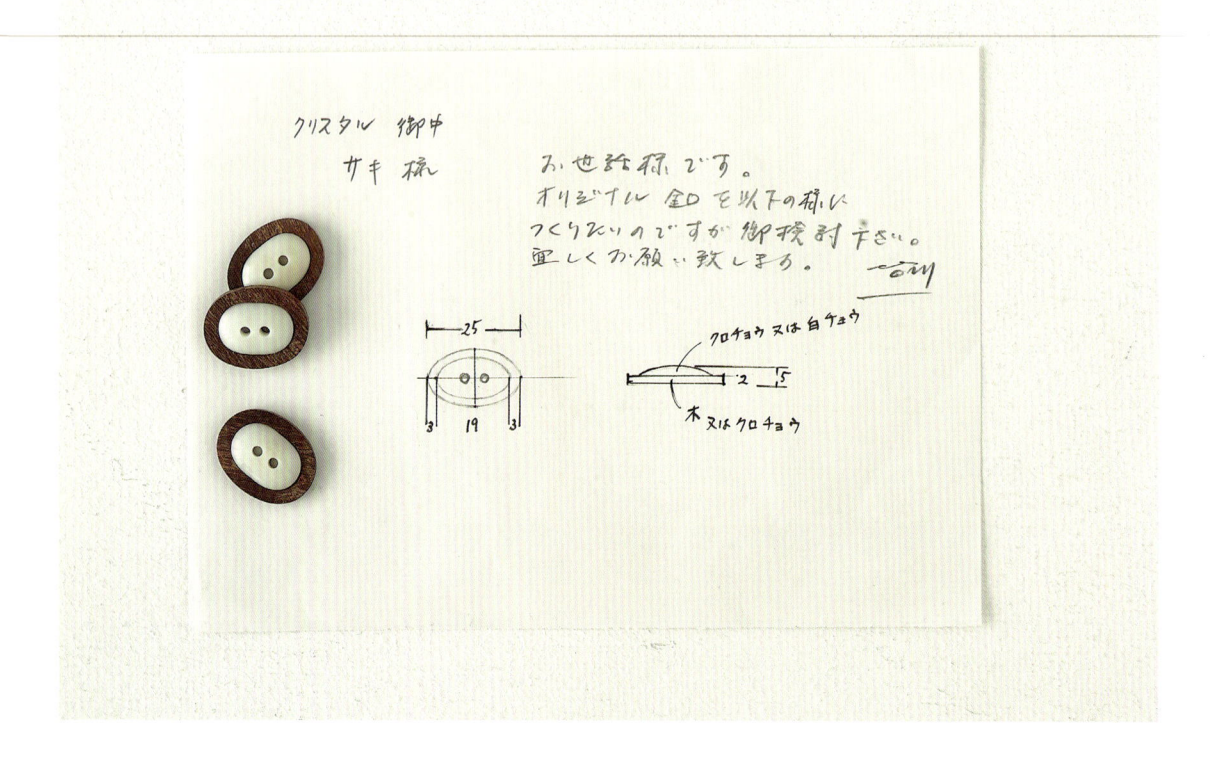

クリスタル 御中
　サキ 様　　お世話様です。
オリジナル ボタンを以下の様に
つくりたいのですが御検討下さい。
宜しくお願い致します。
　　　　　　　　　　　皆川

25
3 19 3

クロチョウ 又は 白チョウ
2 5
木 又は クロチョウ

② 神奈川レース・佐藤さま
0462-81 昨日はありがとうございま
3801 した。
いいものに
なりそうですね。
皆川

○→完全ボーラー
⊕→クロスボーラー
●→ジンタン

※ジンタンは
盛り加減で
色々なものを
作ってください。

(生地) (生地)
↑
(耳) ←——— 8' ———→

デザインを生地やボタンに仕上げる過程で、
思いのやり取りを積み重ねていく。

コレクション

コレクションの発表に、ランウェイのショウ形式を必要としていないのは、私たちの服を着た人たちが街に出てリアルな時間を過ごしている、それ自体が、洋服にとって最も輝かしい時間なのではないかと感じるからだ。だからパリでコレクションをプレゼンテーションのように見せた数回の試みでは、ダンサーが現れて踊ったり、モデルは現れたら最後まで会場にとどまったりして、いわゆるランウェイによるやり方ではなくて、舞台に流れる時間や空気感のうちに服を見せたいと思った。

2007年に発表した秋冬コレクションでは、「ある小さな村のお祭り」をテーマにした色とりどりの洋服を15体だけ見せた。10分で15体。皆川が床にテープを貼りつけて花の咲く木を描き、モデルたちが一人ひとり、枝にとまっていくように、現れては絵の中に飛び込み、そのままとどまっている、という演出にした。ショウ当日の朝に皆川が口笛で歌を吹き込んで音楽に織り交ぜた。ささやかだけれど手をかけた、自分たちらしいやり方。ショウに限らずミナ ペルホネンがいつも心がけていることだ。

やってみる。
やめてみる。

パリのギャラリースペースで行った2007-08 a/wのプレゼンテーション。

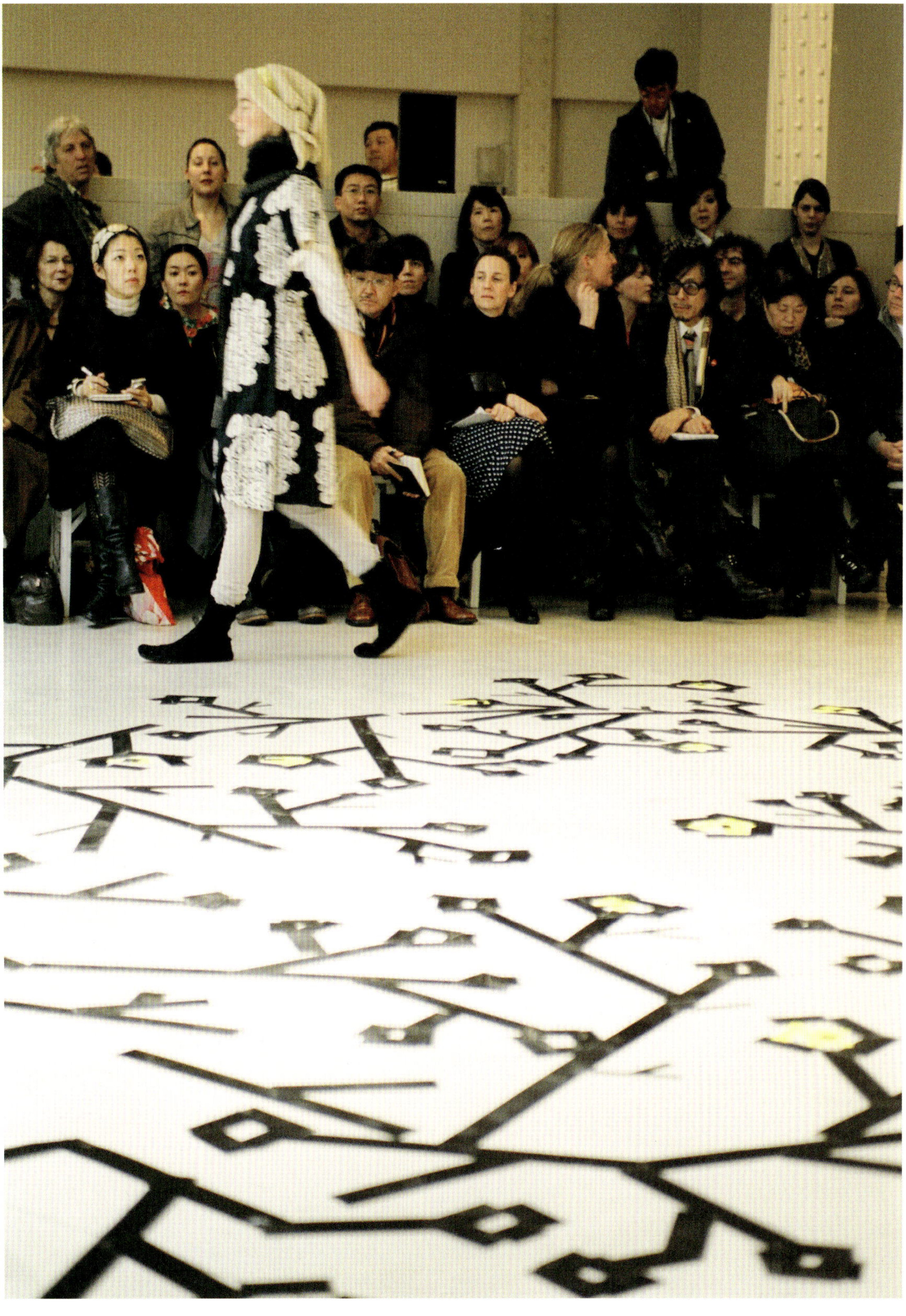

パリのプレスルームで行った2006年秋冬の
プレゼンテーション。「黒いドレスをまとっ
た白鳥」をテーマに映像と共に見せた。

パリでもどこでも自分たちの居場所を
探してやってみたいことをやり、良いも悪い
も引き受ける。それが自分達の前進の
仕方なんじゃないかと思っている。

パリで行った2007年春夏のプレゼンテーション。モデルたちがシーズンの図案「rain chukka（レインチャッカ）」の花畑の中をチンドン屋の音で歩いた。

展覧会

最近ふと思った。数ある生き物の中で、なぜ人間だけが服というものを必要としたのか。服や道具、お金を必要としたのか。そうした道具によって生活を成り立たせようとしたのか。どうして服を着ることに喜びを感じるようになったのか。それならばどんな喜びがほしいのか。そうしたことを考えることに興味がある。

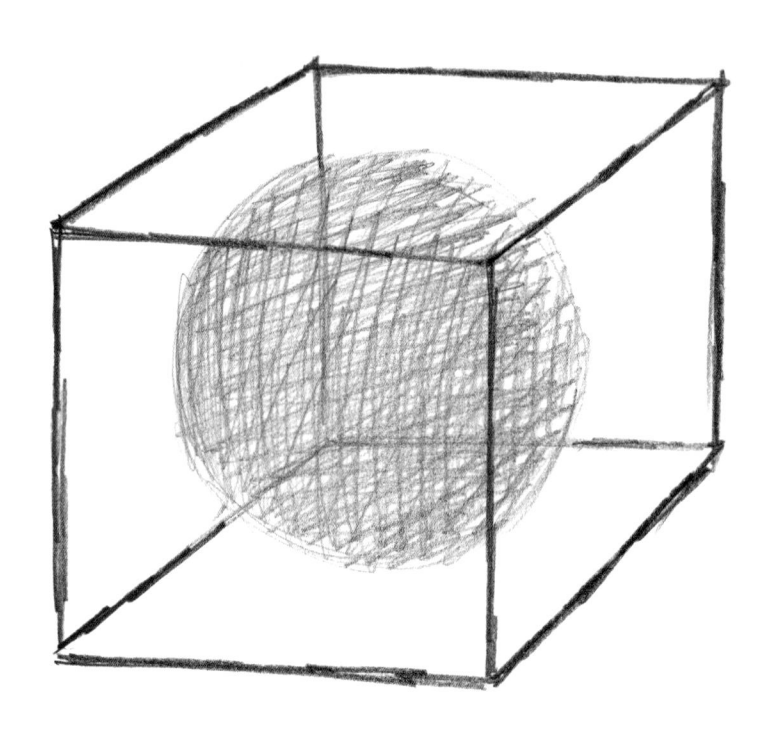

本質的な疑問に出会いたい。

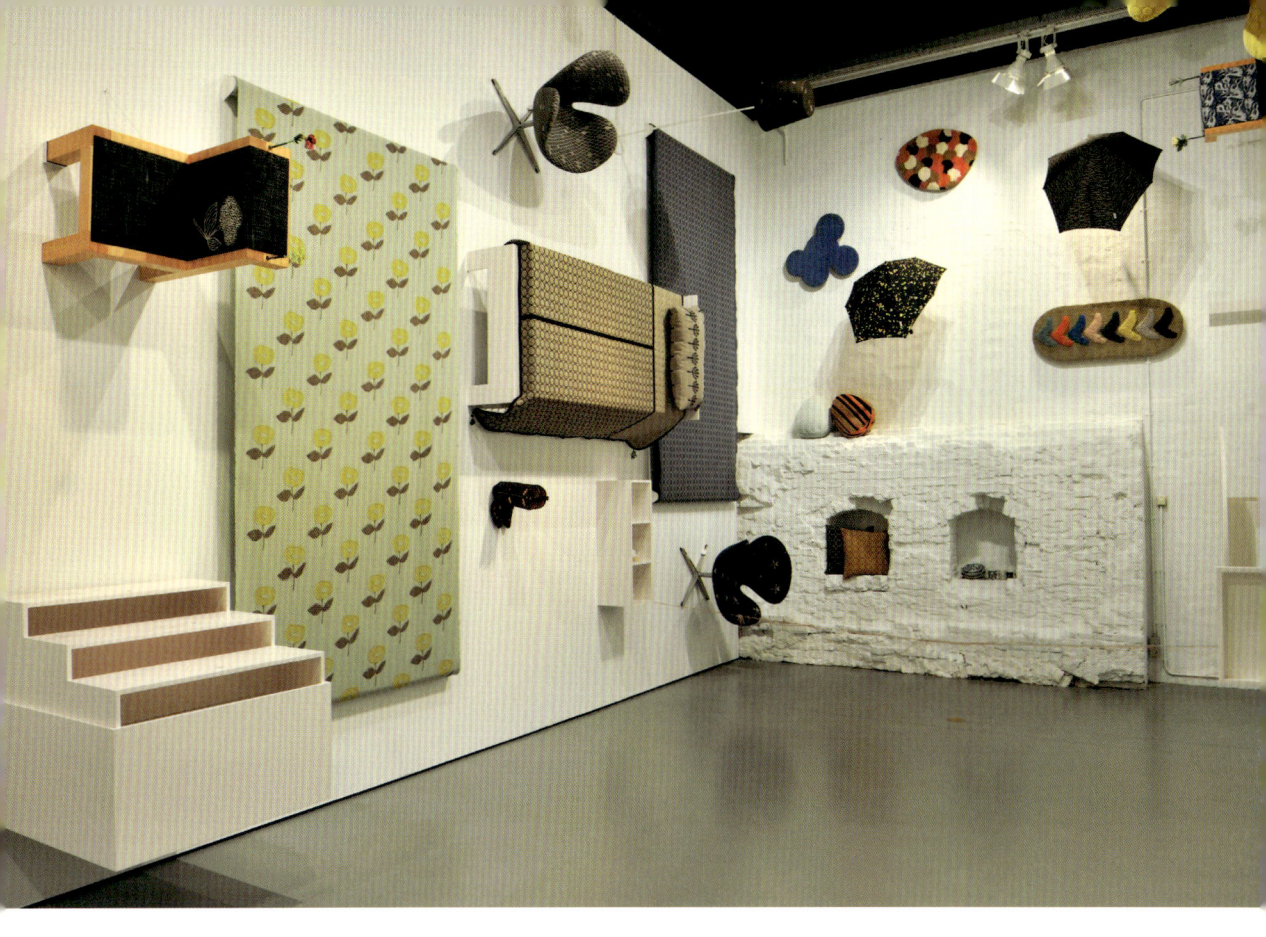

「minä perhonen — fashion & design」
2009年10月24日 – 2010年2月28日
アウダクス テキスタイル ミュージアム
ティルブルグ、オランダ

77

スパイラル25周年 × minä perhonen 15周年記念企画
ミナ ペルホネン展覧会「進行中」
2010年9月28日 – 10月20日
スパイラルガーデン、東京

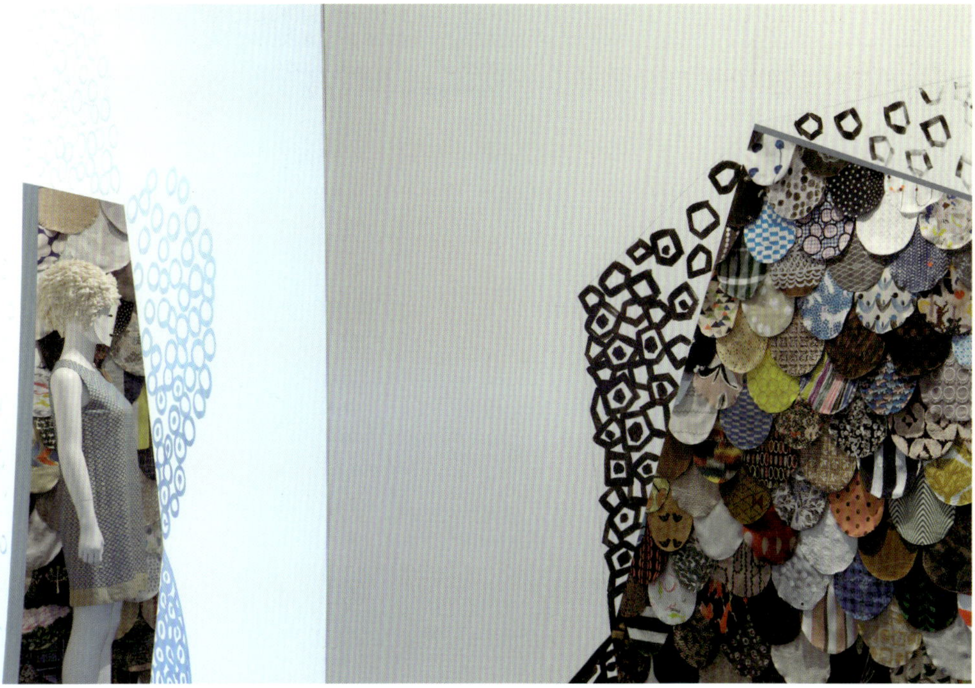

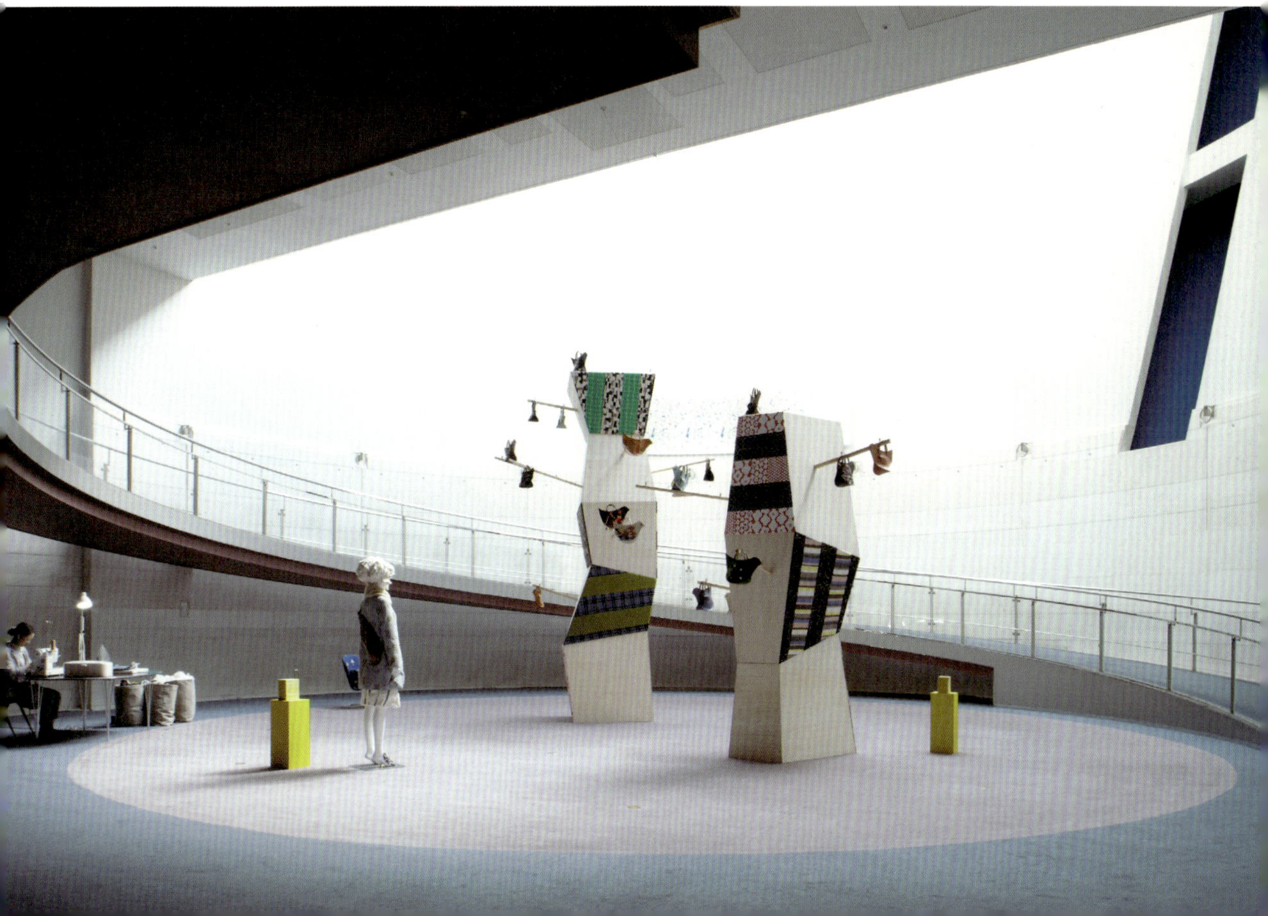

「一時間の家」
2005年10月31日 – 11月9日
日本ファッション・ウィーク、東京

「オモテウラ」
2005年1月12日 – 2月13日
宇都宮美術館 プロムナードギャラリー、栃木

「ミナ ペルホネン The future from the past 未来は過去から」
2010月1月16日 – 5月30日
金沢21世紀美術館 デザインギャラリー、石川

刺繍

横幅約14メートルの機械に、500本以上の刺繍針が横一列に並ぶ。針がリズムを刻みながらせっせと動き、セットされた布に絵を刺し描いていく。生地に刺繍されることによって、原画に強く打たれた鉛筆の小さなドットや、細かに塗りつぶされた部分がふくらみを持ち、色糸による表現が鉛筆による無彩色の原画にはない気配を備え始める。私たちは神奈川のレース工場でずっと同じ技術者、佐藤敏博さんに刺繍の柄を一緒につくってもらっている。ミナ ペルホネンのレース柄は、機械によって何千、何万とステッチを刺しできあがる。ステッチ一つひとつの運びを、佐藤さんが絵を描くようにしてプログラムに打ち込み、刺繍でどう表現していくのか糸を刺す量や方向などを決めていく。生地に刺繍を施すのは機械だが、その機械を動かすのは人だ。機械だから時間を短縮できる、という考えではなくて、機械の時間を借りて、機械に人のように働いてもらう。機械による刺繍でありながら、手刺繍から感じられるような躍動感のある自由な表現をしたい。私たちは佐藤さんとともに幾度となく試作を繰り返し、ひと針でも違和感があれば修正してゆく。会話は、柄の持つ印象を語る言葉がほとんど。軽さや重さや、絵の中に流れているだろう風の向きや、またモチーフの持つ感情や表情を言葉に表しながら、柄をつくりこんでゆく。そこには作業の効率よりも、長く愛されるデザインをつくるという信念の共有がある。

これまでつくってきた刺繍柄のなかでも「forest parade（フォレストパレード）」（2005 s/s）は、最も時間のかかる、刺し数の多い図案。鳥や蝶、草花、「peace」という文字など、37種のモチーフが一本の線を軸に連なる。一本の針が37すべてのモチーフを仕上げるのには3日かかる。鳥の羽根一本一本が見えてくるように、蝶の軽やかな羽が感じられるように、木の実のもっちりしたふくらみが生まれるように、刺繍の疎密が表現を豊かにしてくれる。

trickle 2008-09 a/w

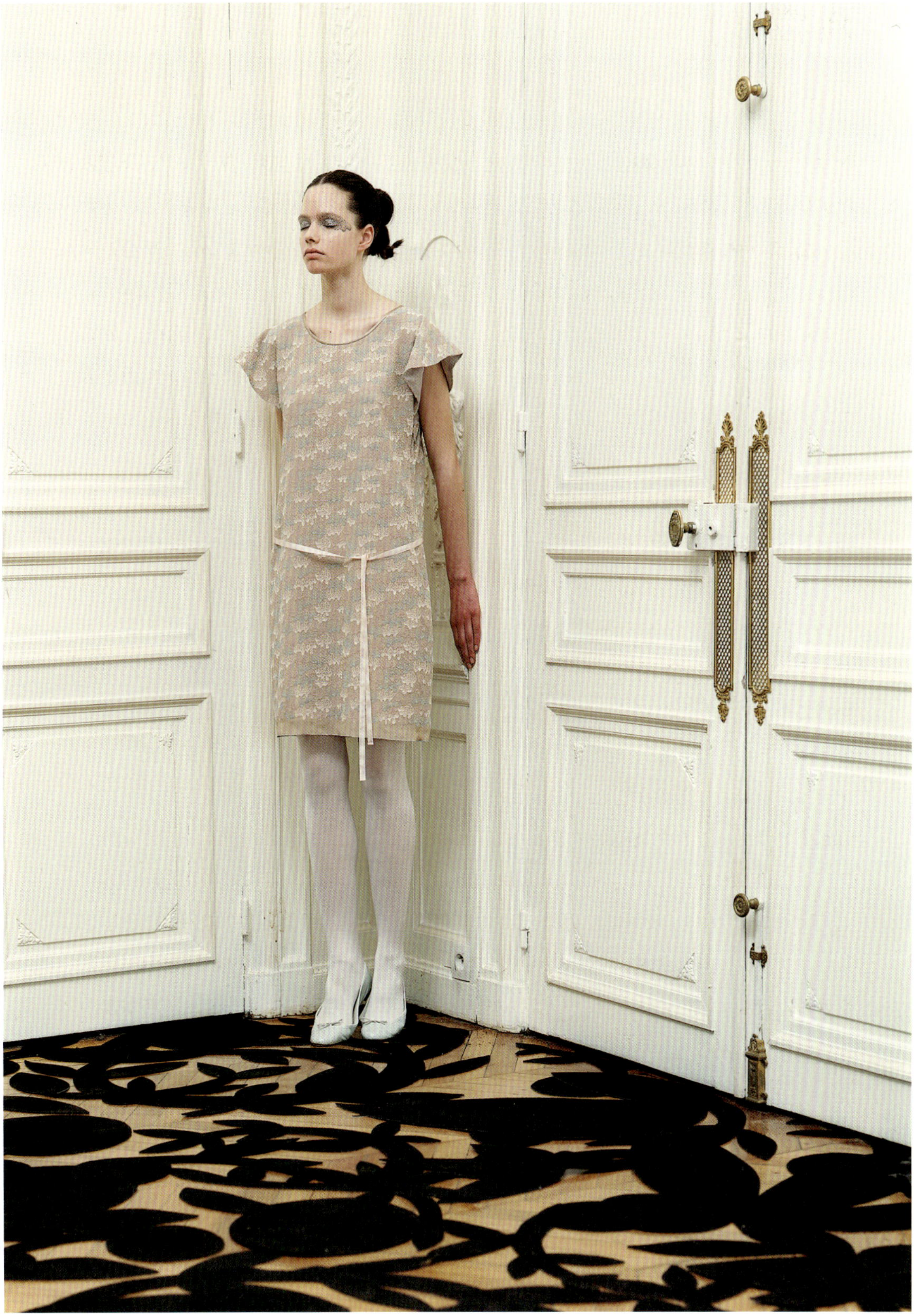

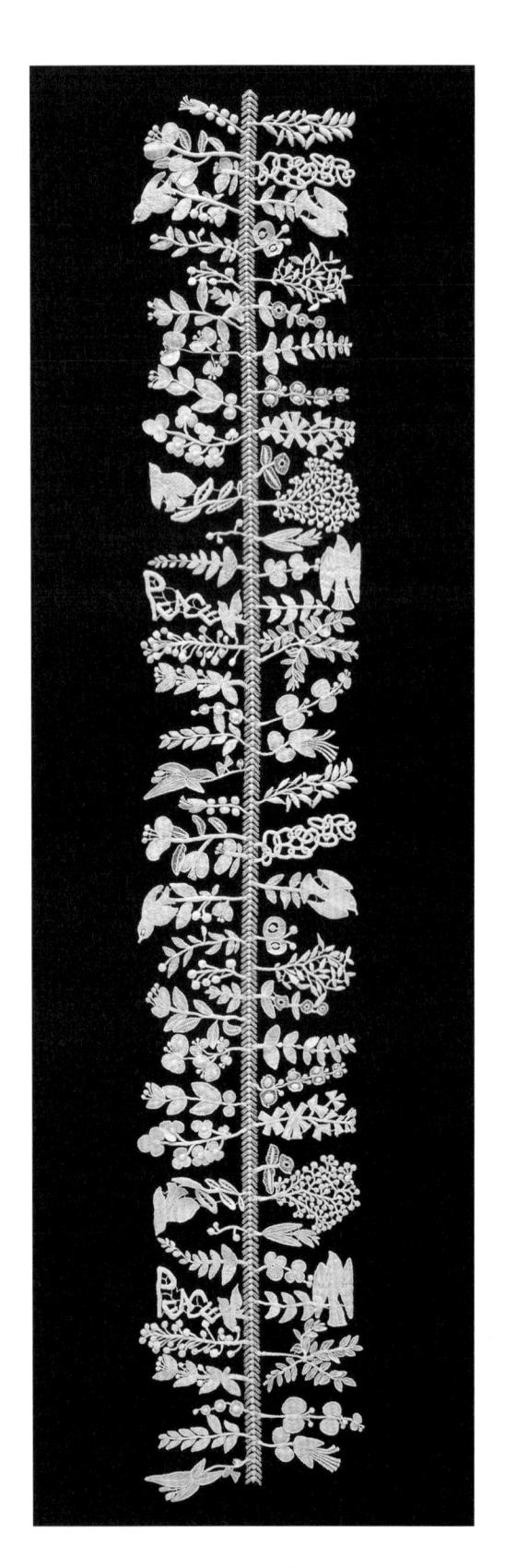

forest parade 2005 s/s

「フォレストパレード」の、仕上がると房のように37のモチーフが垂れ下がるデザインは、水溶性の布に刺繍を施し、後からその布を溶かすという手法を用いた。2004年秋冬に「snowberry（スノーベリー）」で初めて試みた、布から離れる軽やかな立体刺繍を発展させてつくった図案。原画に描き込まれた鳥の羽の流れや細かな鉛筆の表情も表現されている。

出来上がってきた時、もう終わってもいいと思った。そしてすぐにもっとやってみたい衝動が湧いてきた。

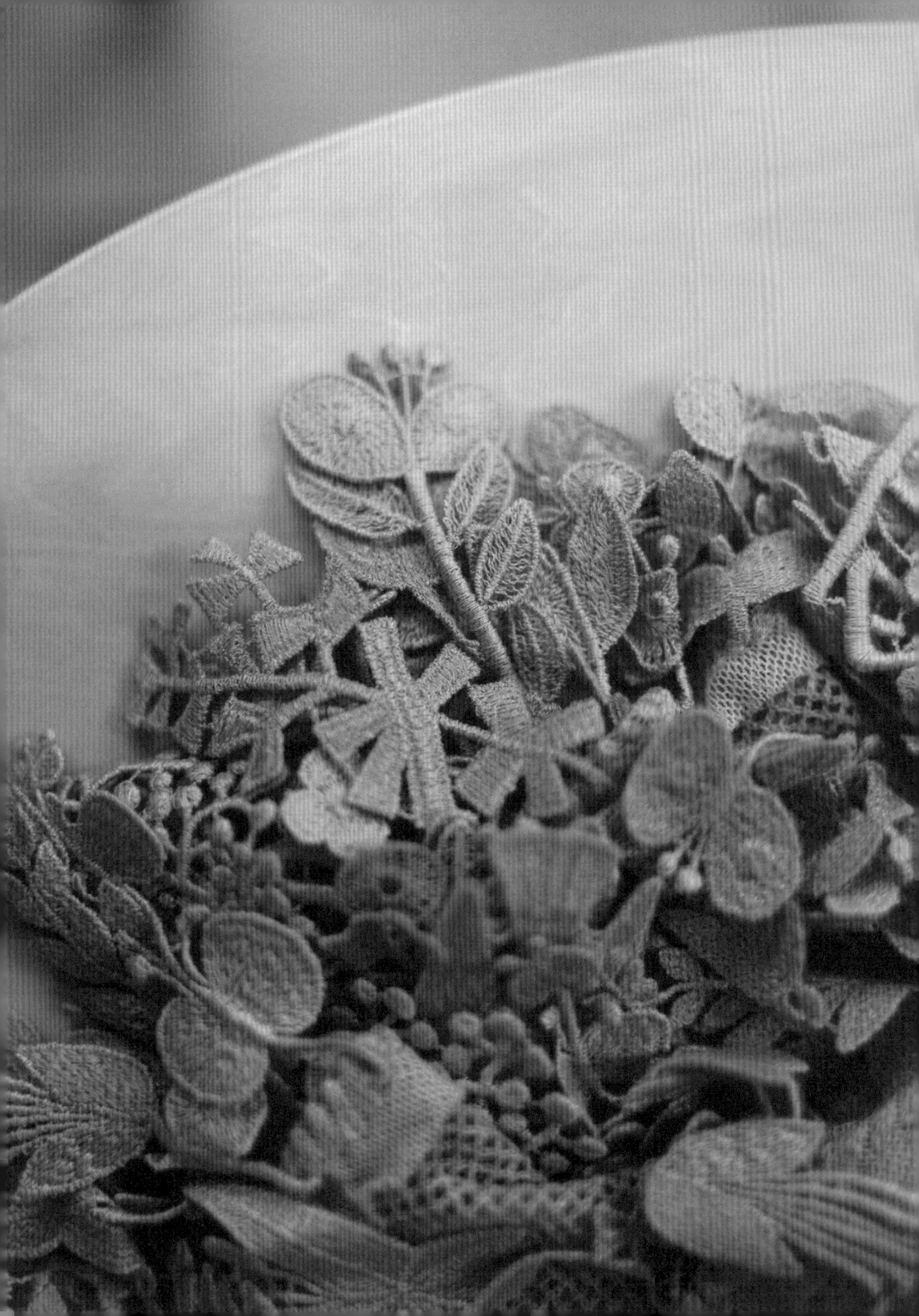

粒子

2002年に行った初個展のタイトルは「粒子 — Exhibition of minä's works」。アイデアスケッチから工場の写真や映像、ファブリック、服まで、発想から完成に至るさまざまな要素をミナ ペルホネンの粒子として見せる展覧会だった。「ほんとうに大切なものは、気づかれないように在ると思う」。これはそのころに皆川が書いた言葉だ。

洋服のかたちには、私たちの仕事のすべてが現れているわけではない。しかし一つひとつの仕事に手を抜かず、気持ちを込めて進めているかどうかは、必ず積み重なって洋服の細部に現れる。そのことを、私たちは常に意識していきたい。自分自身の仕事への批評と気づき、発見が、経験の粒子となってブランドを前進させる。

そしてつくられた洋服の細部は、ブランドの気持ちを伝える表現の粒子となって着る人にあいさつをする。洋服に表現された絵や生地の触り心地、共布でつくられたくるみボタンや水牛の角を透かし彫りにしたボタン、手でぎゅっと絞ったようなランダムなギャザーを寄せたスカート、手で施した小さなちょうちょの刺繍。洋服が人の手にわたったとき、洋服に含められた粒子のどれかが、着る人にとって、その服のなくてはならない特徴となるような、そういう関係が生まれたらうれしい。

ブランドは、細かい粒子の集積により成り立っている。スタッフ一人ひとり、生地の制作や洋服の縫製、パーツの制作など、ともにものづくりを進める人すべての働きが、ミナ ペルホネンをつくるクリエーションの粒子となる。関わる人すべての内にある意思が、でき上がるものを構成していることを忘れないようにしていきたい。

粒子による全体
全体による粒子

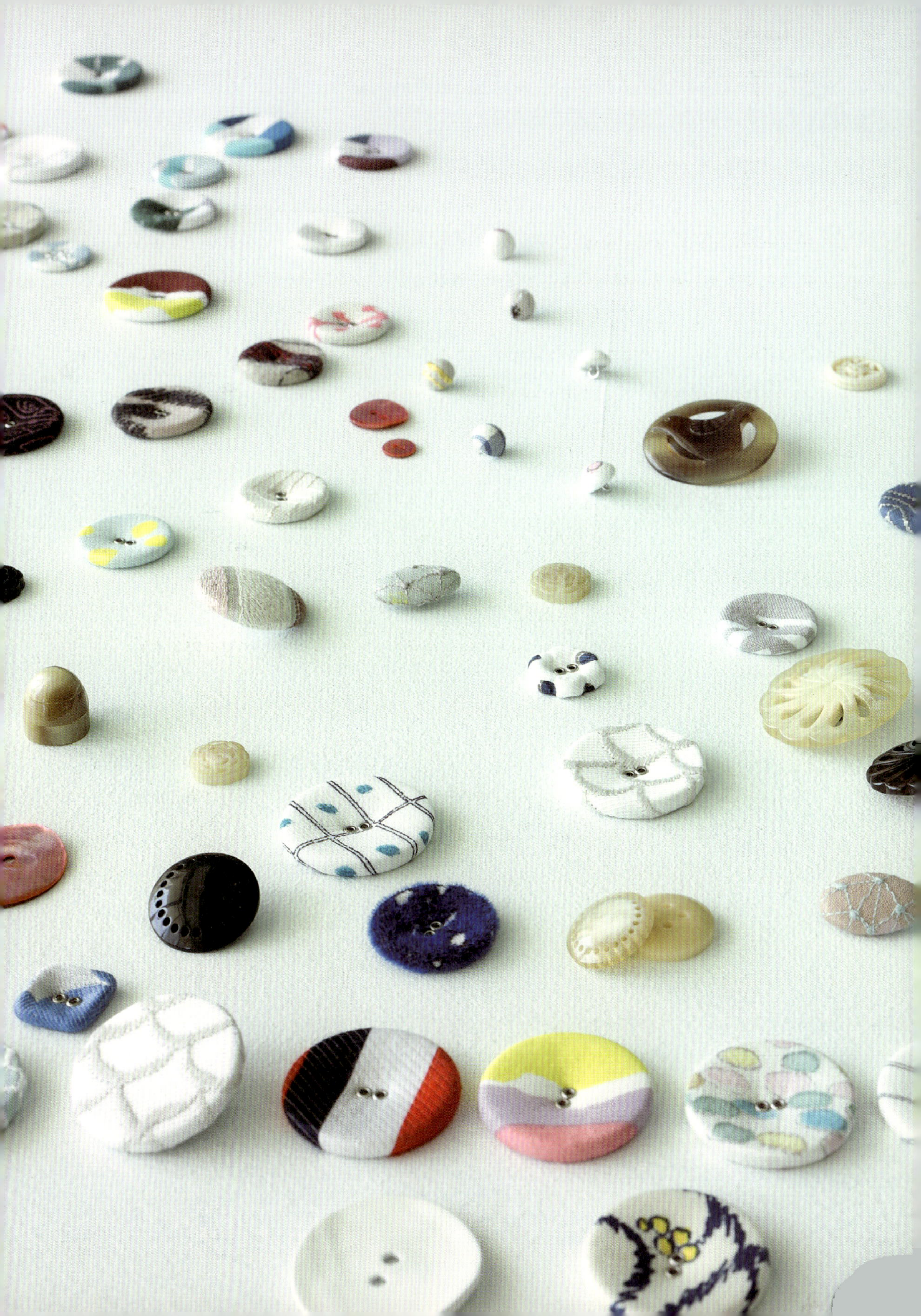

「粒子 ― Exhibition of minä's works」
2002年4月23日 – 5月6日
スパイラルガーデン、東京

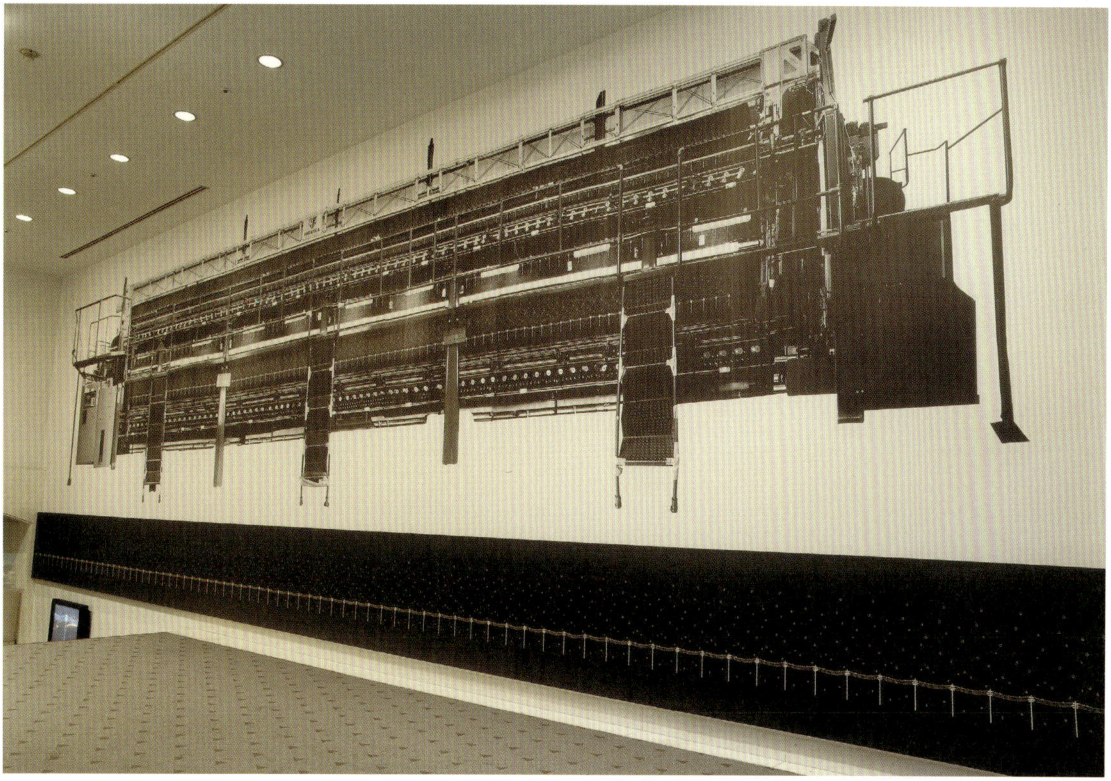

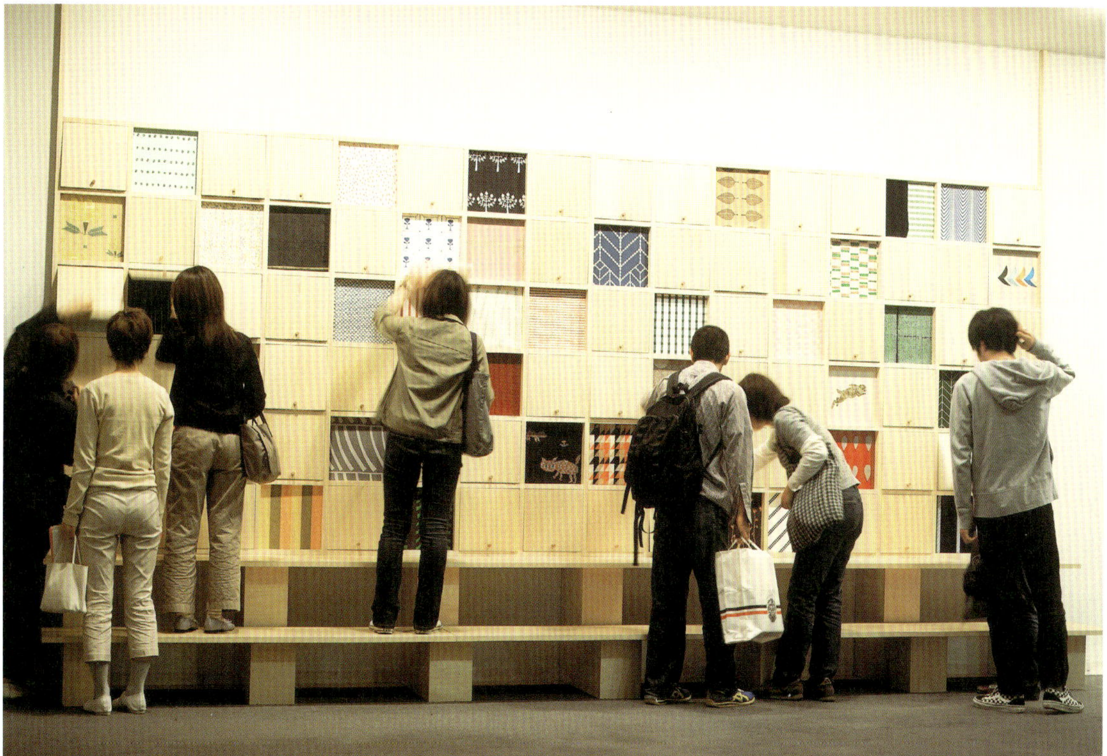

手のあと

ミナ ペルホネンのプリント柄は、原画に描かれた鉛筆のかすれや水彩の濃淡、絵の具のにじんだ様子まで、布に忠実に再現することを大切にしている。そのためには、微妙な色の濃淡を分けてプリントの「版」にする必要があり、10を超える版を重ねることもある。例えば「jellybeans（ジェリービーンズ）」（2002 s/s）というプリント柄は、5色の粒を表現するのに13もの版を重ねてつくられている。画用紙を小さな楕円形で埋めていき、水彩絵の具で色をのせた図案で、楕円の形や間隔は一つひとつ異なり、鉛筆で描かれた線はかすれている。その原画の持つ軽やかな透明感は、生地へのプリントでも表現され、私たちの代表的な柄のひとつとなった。

プリントは、複製するための手法だが、こうした手のあとを残すためには染色工場の技術が欠かせない。プリントの手法には機械から手によるものまでさまざまだが、私たちの図案のなかには「手捺染（てなっせん）」という、人が一版一版手でプリントしてゆくものが多いので、特に職人の力が必要になる。版の作成は、最近ではコンピュータスキャンによるものが増えているが、人の手による作成も変わらず行っている。ミナ ペルホネンから届いた原画を、職人は忠実に筆で拾い、プリントのキワを決めきっていく。例えば「sticky（スティッキー）」（2004 s/s）は、マスキングテープを手でちぎり貼りつけて格子状にした図案。マスキングテープを手でちぎった切り口の、繊維の細かさまで表現しようという細かなラインを再現するために、版をつくるのに膨大な時間を要した。この手作業が私たちの生地に深さと温かさを与えてくれている。

jellybeans 2002 s/s

左上　cats & dogs 2009 s/s
右上　rain chukka 2007 s/s
左下　rain sample 2007 s/s
右下　sticky 2004 s/s

「スティッキー」は人の手で1パネルずつ丁寧に刷っていく手捺染という手法の染めによる生地。

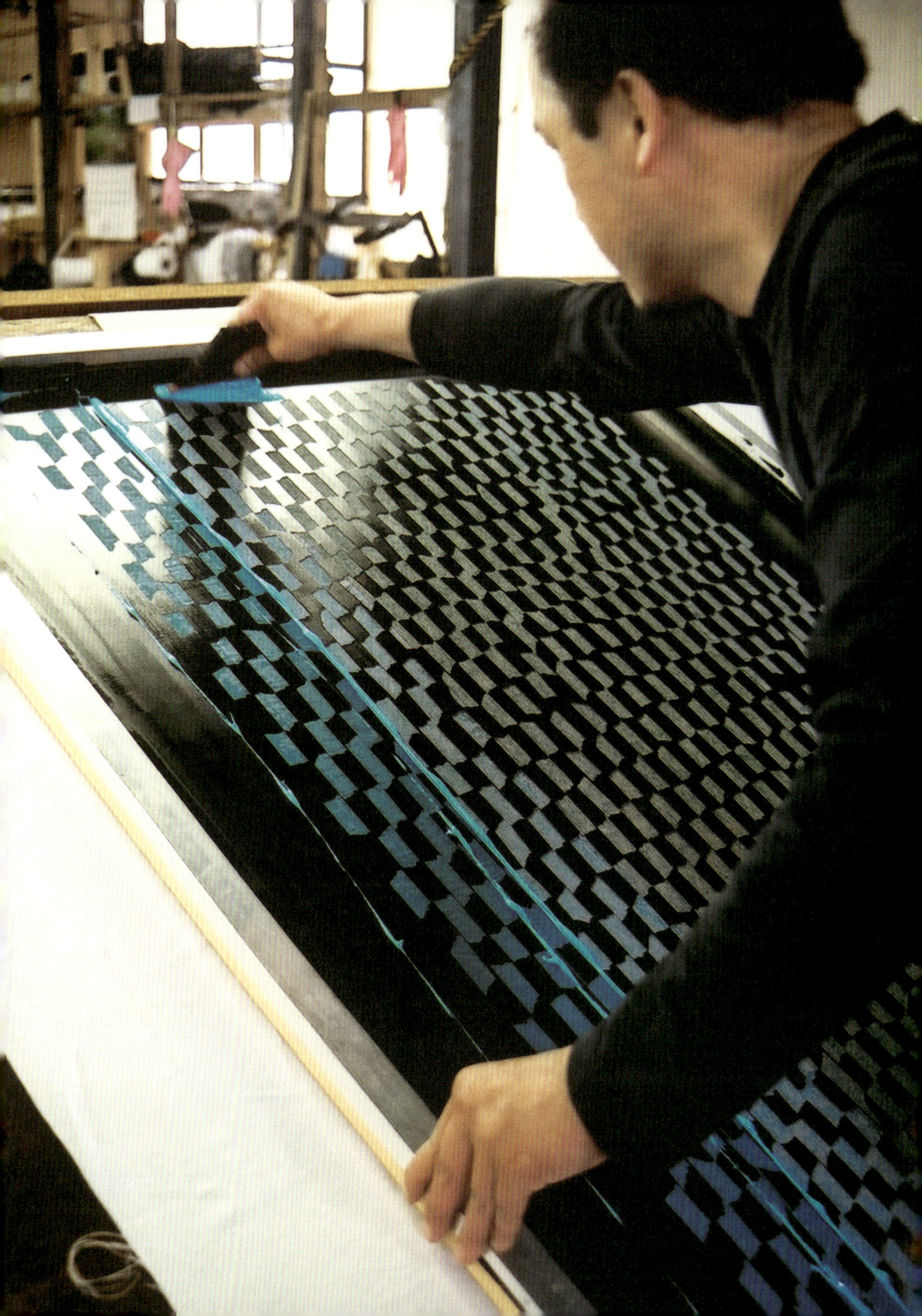

価値

デザインの「消費」という意味では、ファッションの世界は恐ろしいほど速く、簡単に価値を変え消費されていく。デザインやものづくりを、「ファッション」というカテゴリーから離れて考えたとき、そのサイクルは異様に映るほどだ。デザインの寿命は、デザインの力とある程度比例する。そこにデザイナーの仕事の意味があると思う。私たちは、新品であるとか今シーズンのものだということによらず、もっと個人的な、着ている人にとっての価値になる服をつくりたい。そのような服との関わり方がある生活は、その人らしい空間をつくるのだと思う。

価値を生み出すために、私たちは自問する。

個として認識される継続的な意志や信念はあるか。

継続するための「呼吸」と「食事」をしているか。社会的に情報を知り情報を出す、という意味での「呼吸」。「食事」は、能動的な行動としての投資を生み出すために運動し、チームとしての体力をつけていくこと。

クリエイティブな活動には、社会との対峙が不可欠だ。デザイナーは、常に社会と対峙し、自ら自転していけるような体力と態勢を整えていかなくてはならない。トレンドに添うためではなく、社会の空気を感じ取り、世の中を明るく照らすスイッチとなるために。

full moon 2008 s/s

革と貝を用いて工芸的につくられた織。牛革に貝のらでん細工を正円に施した。スリット状にスライスしたその革地を縦糸として使い、一枚の布地に織りあげる際、再び貝が円を描くように仕上げている。

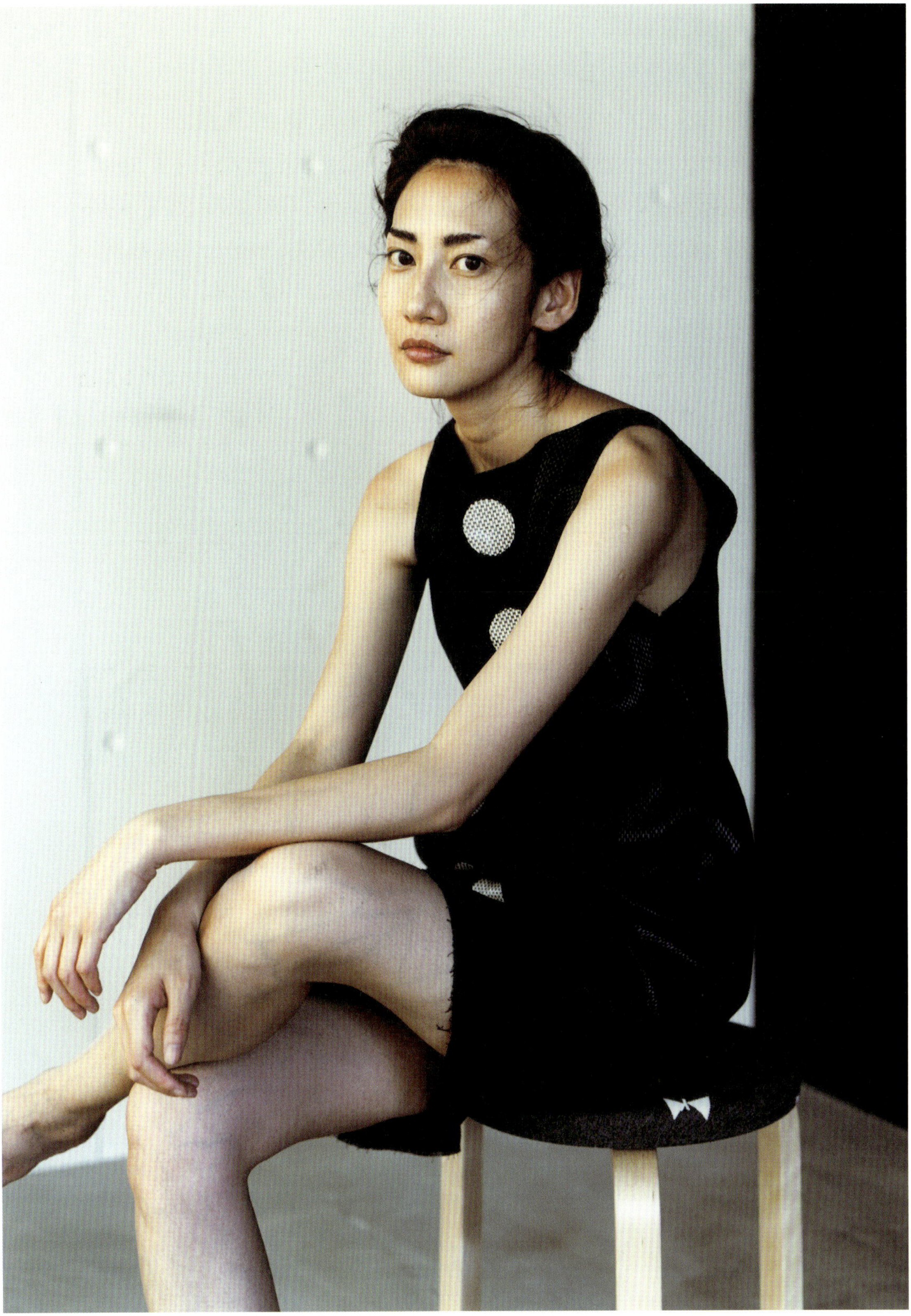

100年

せめて100年は続けよう、と皆川が「ミナ」を始めてから15年が過ぎた。「今」、2010年は、100分の15を終えた地点ではなく、なお100年後を見つめている通過点だ。ブランドを始めた皆川のデザイナー人生より長く、ブランドを継続させたい。私たちはブランドを継続する中で、一時的な社会や市場の変化、また経営的な波にばかり目を奪われないように、視線の先は遠くを見つめるブランドでありたい。遠くを見つめれば、近くの小さな波に心を取られて軸を見失わなくてすむ。完成（終わり）のない道を歩くゆとりが、そこにはあるはずだ。終点や完成を思いそこに向かうと「途中」は意味を持ちづらく、「現在」に視点を合わせづらい。終わりのない気持ちで今を大切にしていれば、「今」を人生の大切な時間として見つめ、その場所で精一杯過ごせる。そして過剰な目的を持たずにいられる。

最初の舵を取り船を漕ぎだした皆川が自分で定めた使命は、小さな種から少しずつ成長して年輪を重ねるようにデザインを重ね、ミナ ペルホネンという共同体に、脈々と受け継がれるデザインの遺伝子のようなものをつくること。生産環境を調え、関わる人々とのコミュニケーションを密に積み重ね、クリエーションの現場に信頼関係をつくってゆくこと。長い時間をかけてものづくりの遺伝子を守り育てていけば、一つひとつのデザインの価値は風化することなく強いものになるはずだ。生まれたデザインの集積は、経験から生まれる知識の集積となり、次のデザインにつながる。このデザインの環境と財産を受け継いで、いつか新しく舵を取るデザイナーが、「自らの感情をデザインに込める」という私たちの軸を忘れることなく、またその時々の社会と対峙しながら新しいデザインを積み重ね成長していくことを願う。そして、たとえ100年後になっても、輝きと生命力を持つ継続的なブランドでありたい。

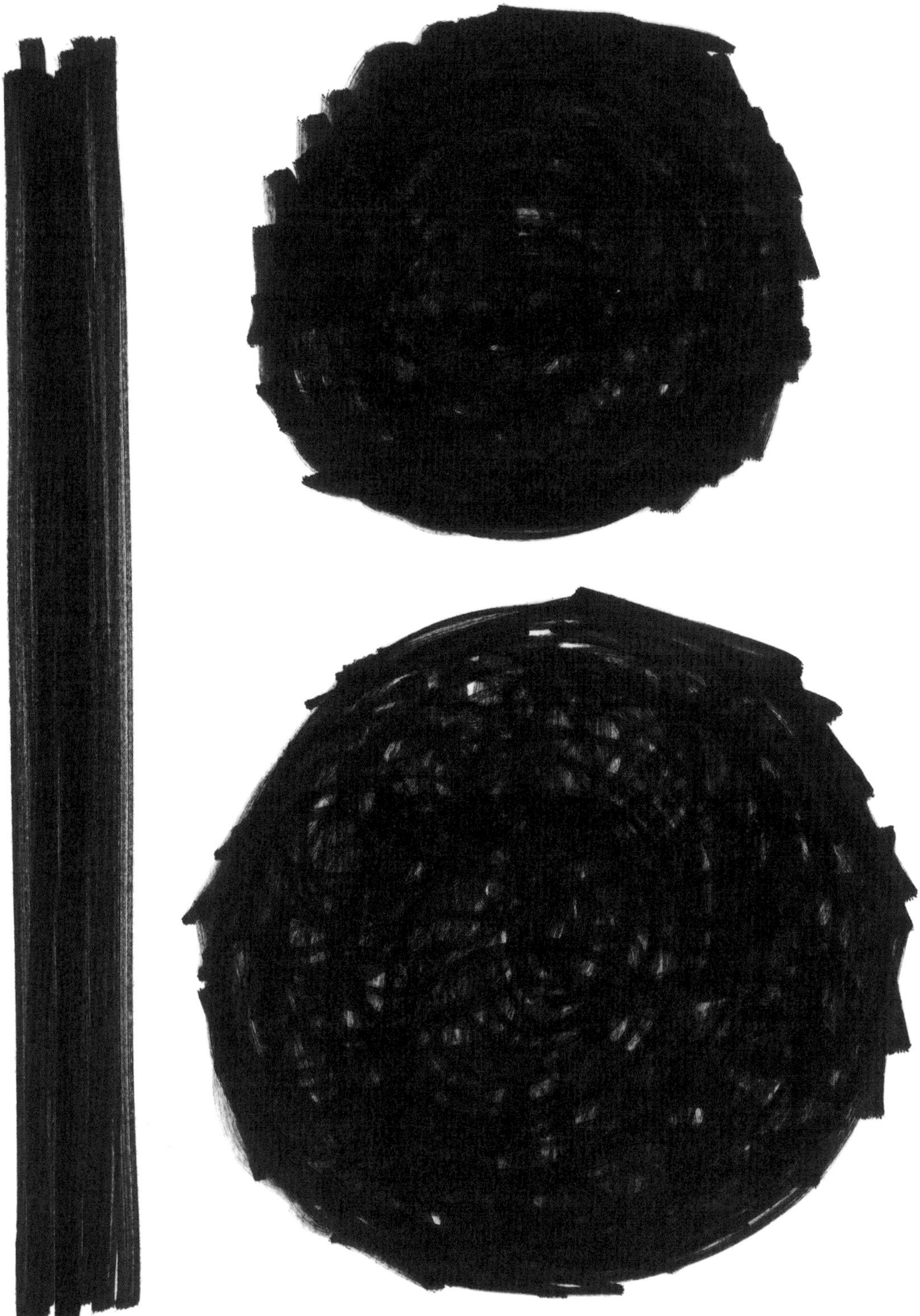

想像

花や蝶、鳥や動物。ミナ ペルホネンのデザインに現れる生き物のほとんどは、写実ではなく、デザイナーの心の中に生きるものたちだ。デザイナーの内側と外側で、現実と空想が行き来して生まれる想像のかたち。その、名前を持たない命ある存在に、デザイナーは、社会や自然から受け取る空気感や個人的な感情を託している。

2004年秋冬に生まれた図案「forest gate（フォレストゲート）」には、冬の森に分け入ろうとする動物の様子が描かれている。冬になると動物が毛の色を変え、雪に溶け込むような保護色を身につけることがある。ここに描かれた動物は、それとは逆に色を輝かせていく。原画では、横に長く2枚の紙を使い描かれた広大な森のふちに、ぽつりと小さな赤い動物が見つかる。赤く発色していくその姿に、これから足を踏み入れる未知の世界に何が待ち受けているかを想像し好奇心と高揚感にあふれる内面を表した。現実にはまだ誰も見たことのない景色。けれどそこに展開する物語には、未知の世界に対して、怖れの気持ちを抱くより前に好奇心で乗り出そうというミナ ペルホネンの意思をそのまま表している。

forest gate 2004-05 a/w

原画（上）、テキスタイル（下）
ほぐし織で寒さに霞むような森の景色を描き、顔料プリントで動物の発色と湖沼のラインを描いた。

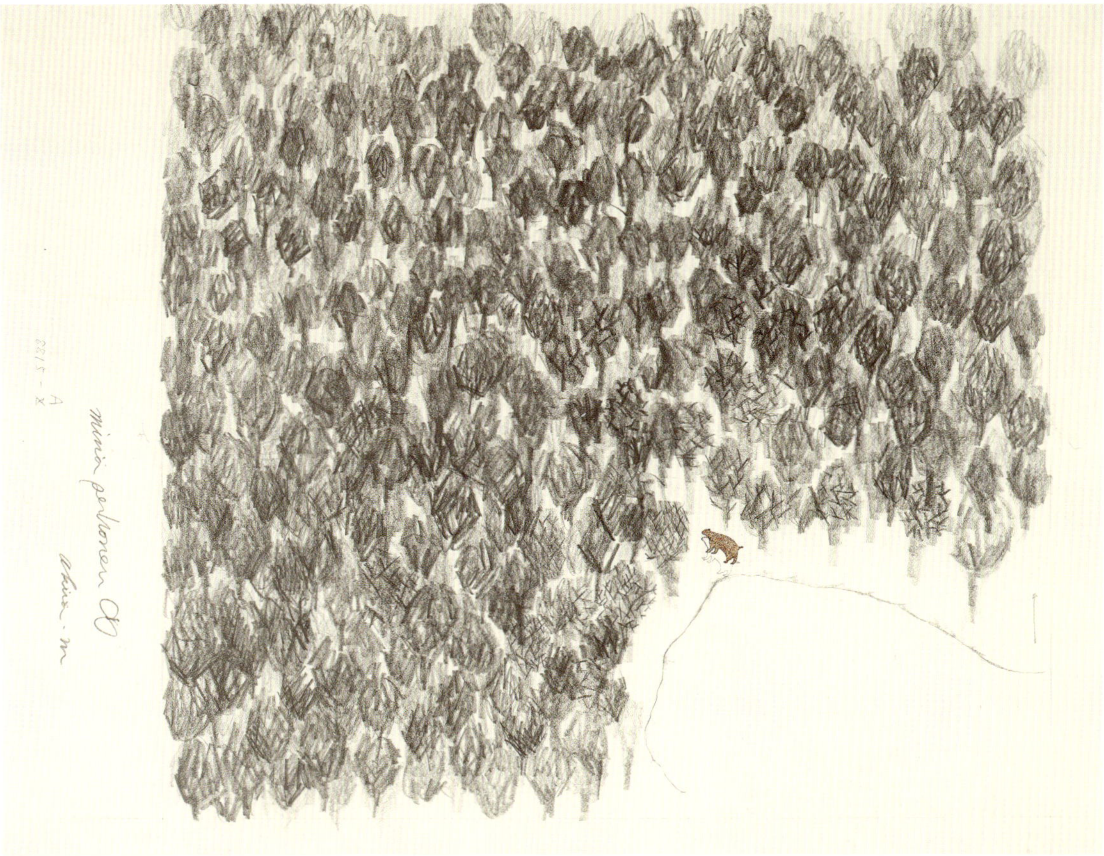

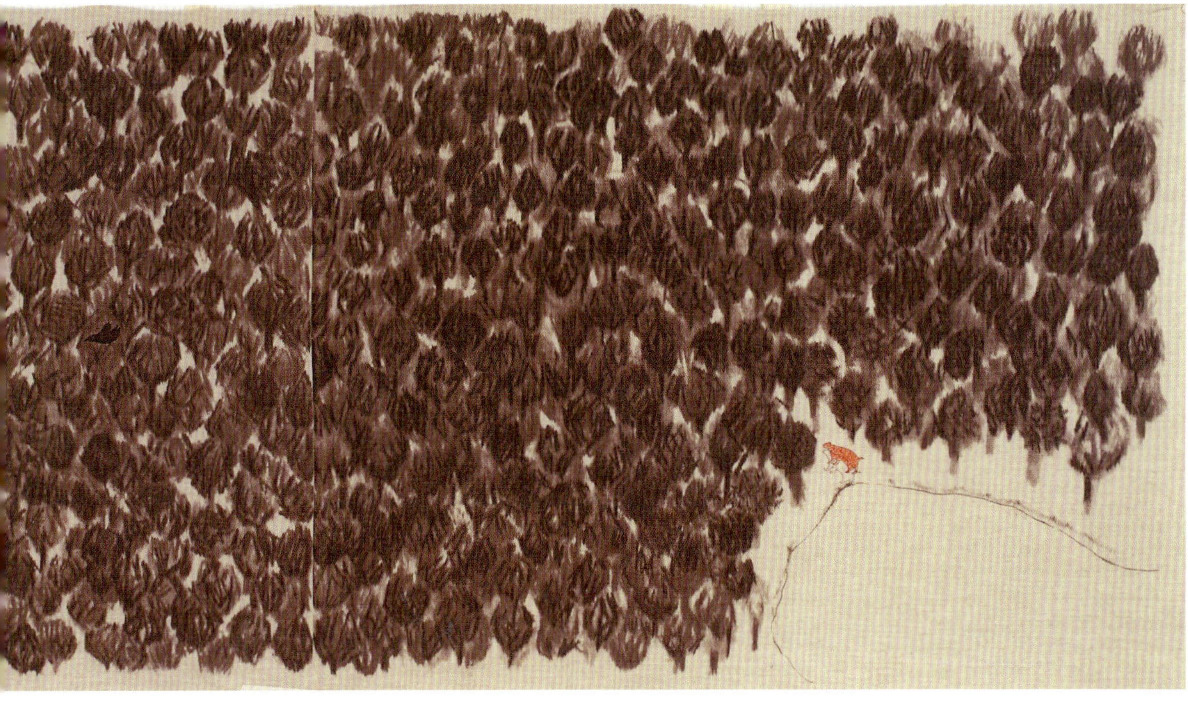

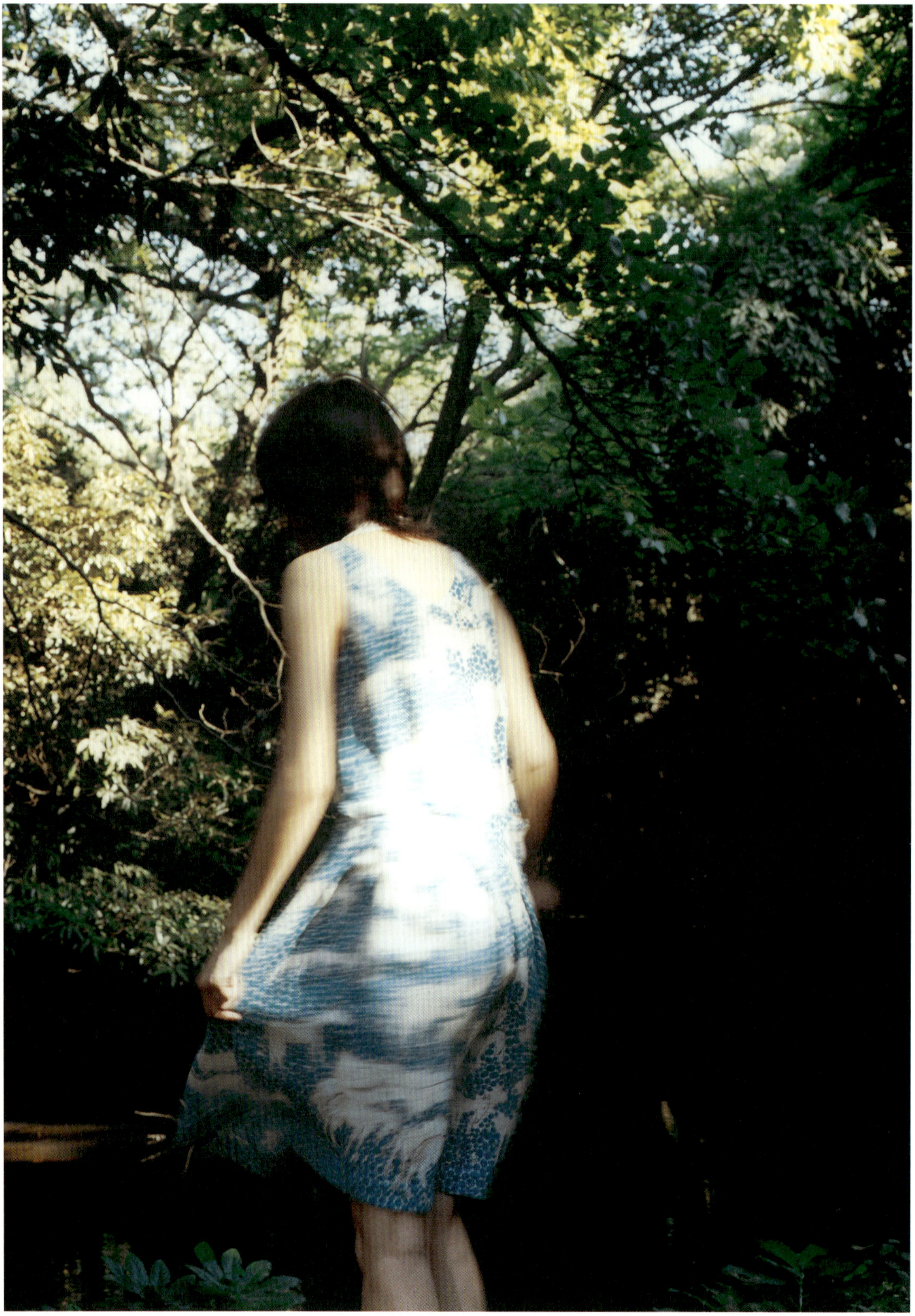

いつも通りで
特別なものをつくって
いきたい。
勘違いがないように。

oasis 2006 s/s

表裏

人生は、常に相反する価値に支えられている。裏にとって表は「裏」であり、光は、影があってこそ感じられる存在である。表と裏、光と影、重さと軽さ―対極にある存在、矛盾しているかのような思考は、実は地続きであり、つながっている。

テキスタイルをつくるときも、矛盾や対極をデザインの一要素として、新しい表現をしていきたい。

例えば、重くて（←質量）軽い（←視覚）テキスタイル。見た目にはずっしりと重そうなのに、手にすればふわりと軽やかな生地。手に取った瞬間に新鮮な驚きが得られる。

例えば、過去によってできた新しいテキスタイル。記憶をデザインに閉じ込めながら、新しい技術により生地が生まれ、物語が動き出す。

例えば、規則正しい無秩序な布。規則正しく織られていながら、その柄は少女のおしゃべりのように、にぎやかな表情を思わせる。

例えば、見えないモチーフ。黒い生地に黒の刺繍、織り込まれた図案。モチーフなのに一見して見えない生地。近寄って、手に触れて初めて得られる感覚。

相反する要素、矛盾とみられる要素を一枚の布に含ませていくと、新しい価値が見えてくる。

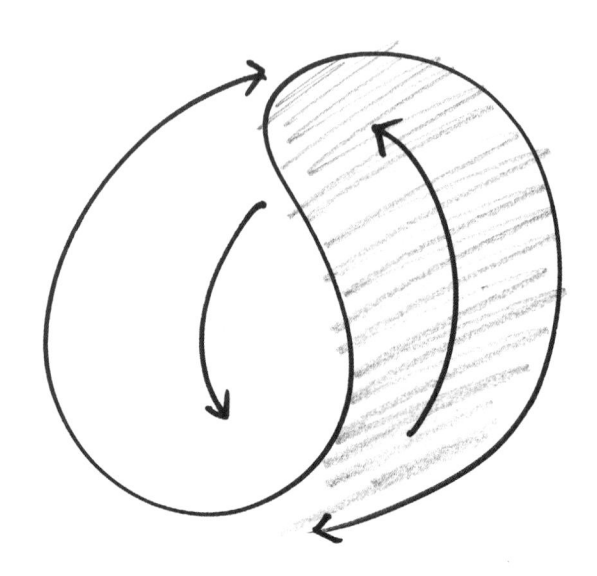

jungle relief 2008-09 a/w

シーズンテーマ

新しいシーズンの準備をスタートするとき、デザインチームがひとつの大きな方向をつかむために言葉を共有するところから始める。言葉から生まれる想像の中で、デザイナー一人ひとりが、それぞれの個性を広げていく。皆川がひとりでテキスタイルをデザインしていた最初のころは、その作業は心の中で静かに行われていた。チームになった今は、シーズンテーマが、そのときのブランドのムードを表す言葉となっている。

「深く輝く森の」

冬の陽の光と雨と
時が熟れさす果実
のような。

遠くから鳥が頃合い
を見てついばみにくる
ような。

本当に美味しい果実の
ように服をつくりましょう。

1997-98 a/w

「子どもの絵本」

「ジェリービーンズ踊ってる！」

1998-99 a/w

「Lapland」

1999 s/s

「シャボン玉」

2000 s/s

「ミックス」

2004-05 a/w

2001-02 a/w 「冬の深い森にあったこと」

「変化する布」 雪が落ちはじめると

森はモノクロームの光と影に満たされる

2004 s/s 雪の花、ピンクに輝きはじめたクマやフラミンゴ

「12℃の夏」 冷たさと静けさの中に深呼吸をはき出した

新しいいのちはこうして生まれるんだ

まったく冷たい森の中

ここからそう遠くはないところ

冬の深い森にあったこと。

2005 s/s

「海の匂い、土の匂い」
海を渡ってから行こうと
風は決めた。
自分の中に潮の匂いが
立ち込めてくるのが好きだから。
土の上になぞってゆこうと
風は決めた。
自分の中に根っこに宿る生命が
話しかけてくるように。

2006 s/s

「木陰にある色」

2006-07 a/w

「黒いドレスをまとった白鳥」

2007 s/s

「見えない未来」

2007-08 a/w

「ある小さな村のお祭りの一日」

2005-06 a/w

「沈黙と情熱の花の咲く」
沈黙と情熱は相対的なものであり
又、同一のものでもある。
沈黙の中に情熱は潜み
情熱は沈黙を生む。
見えるものに本質はなく
見えないところに本質はある。
ただ見ることができなければ
そのことを知ることはできない。

2008 s/s

「ナチュラル&インダストリアル」

2008-09 a/w

「レリーフ」

2009 s/s

「青空に満天の星」
青く澄み渡る空を見上げる時
私はそこに星を見ない。
ただそこにも夜空にまばたく満天の星が
静かにあるはずだ。
青空に満天の星。
見えない。
在る。

2009-10 a/w

「深く輝く森の」

2010 s/s

「夜明け前に」
始まりの予感が光と共に
視界に広がる頃
靄は去り　輪郭があちらこちらに
姿を見せる
そのうち
心にリセットされた真っ白な気持ちを
見つけるだろう
夜明け前に

2010-11 a/w

「親しき晩餐」

2011 s/s

「いつか見た夢」
15年が経ちました。
ひとりでミシンを踏んでからの始まりはとても小さくて
静けさの中にありました。
私は器用ではないので
同じようなことを繰り返すことでようやく
段々と手になじんでいくようです。
そのように百年続けたとき
私たちの表現としてしっくりきて
いつまでも飽きのこないものになるといいなと
思っていました。
流行という突風とは違った
朝や夕暮れに肌をかすめるような
そよ風のようでありたいのです。
私は毎シーズン 自分の癖を感じながら
いつもの好きだと感じるバランスをつくっています。
それはとてもゆっくりな自転です。
それでも力を貸して下さる周りの方々に
良い材料と経験をお借りして
私たちのものづくりは続いています。
2011年春夏は「いつか見た夢」というテーマです。
15年前、素晴らしい仲間と
自分たちらしいものづくりを続け、
喜んでくれる人のためにつくるという
当たり前で尊い夢を見ていたことを
つくりながら感じたかったからです。

家具

私たちは物質の中で暮らし生活を機能させる。しかし人生を豊かにしてくれるのは、物質そのものではなく、そこに流れる時間だ。私たちデザイナーは物質を生み出すとき、その時間とどのような関わりを持つかを考えた形を生み出す必要がある。私たちの記憶や想像力、そして美しいと感じる心によって、物には生命が感じられる。だからデザインは、形から出発せず、記憶や想像力から出発しなければならないと思う。

1999年に初めてオリジナルの椅子「giraff chair（ジラフチェア）」を発表して以来、椅子やテーブル、シェルフやカップ、グラスなど暮らしの中のデザインを少しずつ加えている。ミナ ペルホネンは、生活デザインとしての服づくりからスタートしたブランド。生活を豊かに彩る存在として、プロダクトデザインへの取り組みも洋服と全く変わらない。

「perhonen chair（ペルホネンチェア）」（2004年）は「いつも持ち主を待っていてくれる友人のような存在になってくれたら」とデザインした椅子。四つ足の動物がふんばって立っているような姿をしている。

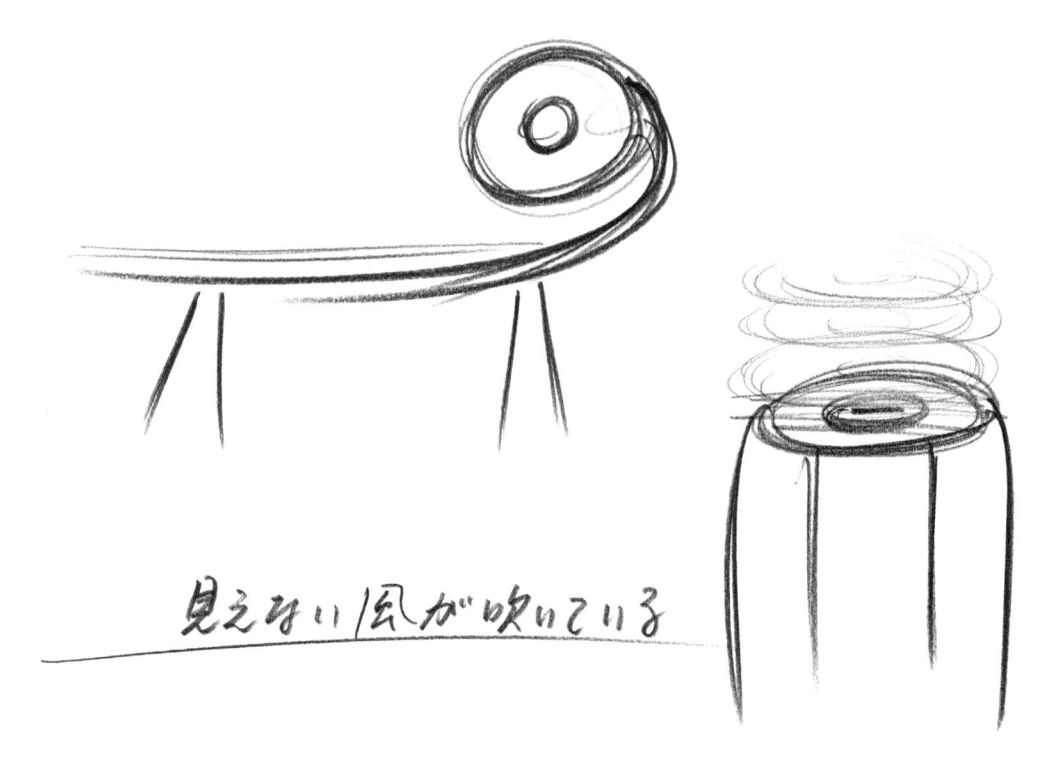

見えない風が吹いている

perhonen chair 2004

mina perhonen for Tendo

puu 2003
曲木のコーヒーテーブルと椅子、ソファ。

bagel stool 2009
ベーグル型の座面は、中央にバーが通ってお
り持ち運びやすいデザインにした。

うつわ

2008年からうつわのコレクションを発表しはじめた。長崎の波佐見焼きで表現する白い磁器のシリーズ。最初に発表したのはカップと湯のみのシリーズ。「く」の字を描く持ち手に花があしらわれたカップ「ku（く）」。散歩の途中で見つけた花を摘むような気分でカップを手にする姿を思い、デザインした。カップ＆ソーサー「cooffee（クーフィー）」（2010年）は、鳥の姿をしている。木でできたソーサーのまるまるとしたおなかに、陶でできたカップの頭がちょこんと乗り、置き方次第では鳥が首をかしげているような姿になる。木でできた台の高さは、機能としては必要ない。ただカップを置くだけの台に、ちょっとおかしな「体」という機能を加えたユーモラスな存在だ。

器も服もそのものの美しさと
使う人のしぐさの美しさや表情が
大切だと思う。

beads 2009
波佐見焼き

peanuts, whip 2010
菅原工芸硝子とのコラボレートアイテム

形はみたての心で見られた時に
生命力を持つように感じる。

fu, ku 2008
波佐見焼き

cooffee 2010
波佐見焼き

風

風を描きたい。大小さまざまな旗が立ち並びピンと張った様子からは強風が、リボンや短冊のような軽くて薄い存在が無数に重なりたなびく織柄からは大きく流れるような風が、ふわりと舞い浮かぶタンポポの綿毛からは春のやわらかな空気の対流が、目に浮かぶように想像できたらと思う。これまで風を表現した柄は数多く生み出されてきた。その中でも自分たちのあり方を強く表現したのは刺繍柄「wind flower（ウィンドフラワー）」(2005-06 a/w)だ。強い向かい風を全身に受けながら、流されることなくむしろ立ち向かって咲いている花たちを描いた。逆境にあってもうなだれず、自分らしく存在できるものの美しさと強さを花に託した。ブランドというのはどのような社会にあっても、それが逆風に感じられる環境だったとしても、自分たちの考えを信じ表現していくべきだと思う。そして私たちの表現においては、そのようなメンタリティは奥に引っ込んで、軽やかなデザインとして、見る人の目に映ったら本当にうれしい。

stream 2008-09 a/w

無数にたなびくリボンの束。一気に吹き抜けた大きな風の流れを表現した織柄。

この花びらは逆風に向かって咲いている。
美しさや可愛らしさではなく時には何かに立ち向かう意志として花を描いてみる。
それは私達もそうでありたいから。

wind flower 2005-06 a/w

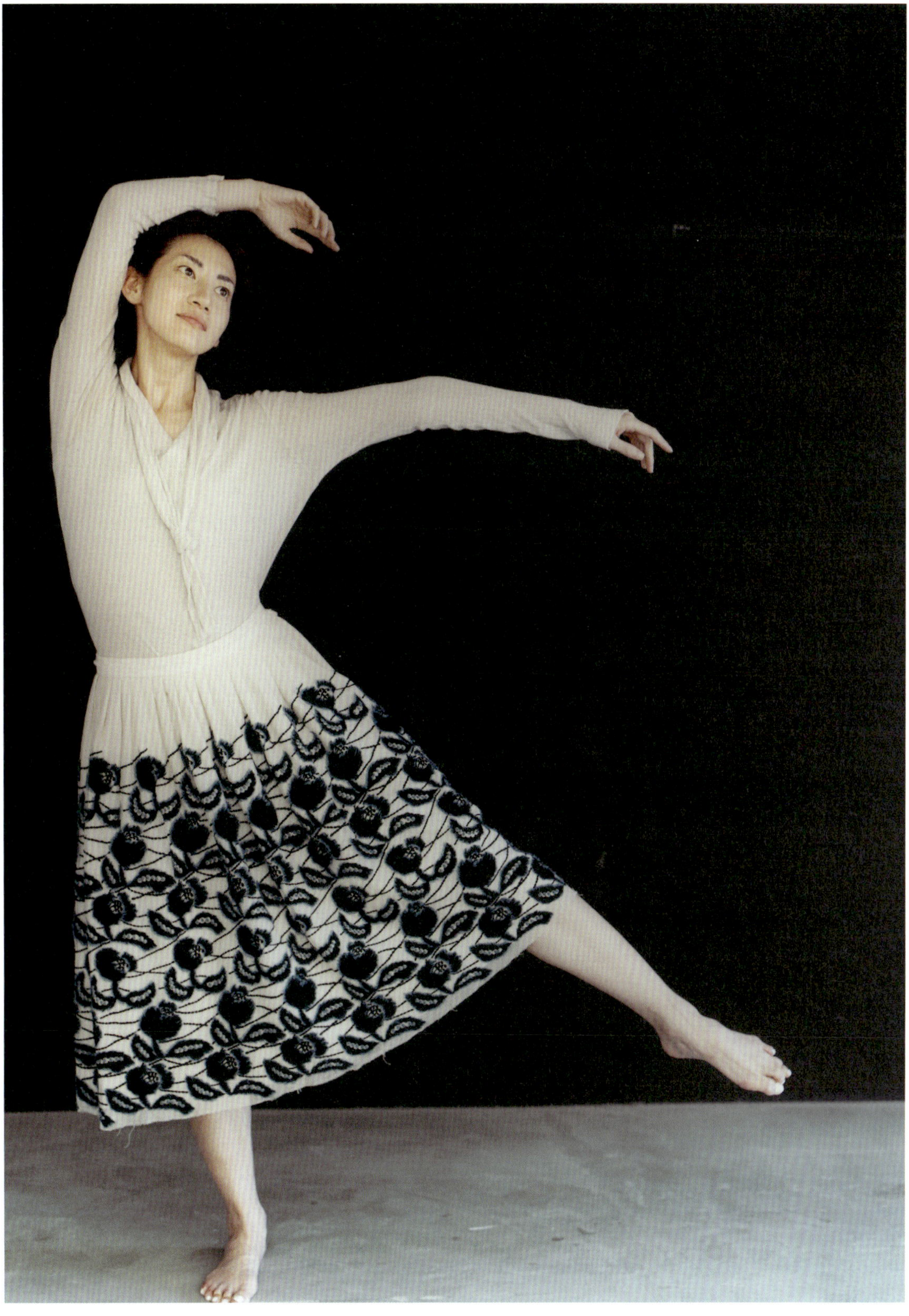

wind flower 2005-06 a/w

花の輪郭を描く糸が布地から離れる刺繍。花のふちどりと葉のゆれる一部が、風に触れたような澄んだライトブルー。格子のような背景に、一方方向に向かう花々。風になびくのではなく、逆風に向かっていく姿を描いた。生地は枯れた芝生のような素材。

breeze 2002-03 a/w

舟形の葉っぱが風で揺らぎ、散り始める。景色が風によって動かされ、変化していく。

flags 2003 s/s

大小さまざまな旗が立ち並ぶ。
すべてが旗を同じ方向へピンと
張り、より先っぽを細く遠くへ
伸ばそうとしているかのよう。

ちょうちょ

蝶が軽やかに舞う姿は、楽しげで人の心を和ませてくれる。私たちのブランド名にフィンランド語で「ちょうちょ」を意味する「perhonen（ペルホネン）」という言葉を含めたのは、蝶の、軽やかな美しさを私たちのデザインも持ち続けたいという気持ちと、そして蝶の種類が無数に存在するように、私たちのデザインが無数に広がり羽ばたいていくことを願ってのことだ。

ちょうちょモチーフの図案はたびたび描いている。さまざまな方向へ、いろいろな羽を持った蝶が軽やかに舞う「choucho（ちょうちょ）」（2001 s/s）をはじめに、以後は本当にたくさんつくった。サークルの中に見え隠れする蝶。最初は隠れているのに後から洋服を着る人が布地にはさみを入れることで現れる蝶。さまざまな模様の羽を持ち整列するたくさんの蝶。手で一つひとつ、洋服ができあがってから刺繍されるぷっくりとした小さな蝶。ちょうちょをブランド名にしているから意識して描き続けているわけではない。ただ、空気を描きたいのだ。軽やかに自由に飛び立ち、花や枝に羽を休める蝶の姿を借りて、周りのやわらかな空気を描きたい。

自分達の営みが他の生命の営みに欠かせないなんて素晴らしいなあと思う。私達の仕事にもそんな可能性を持てたらうれしい。

choucho 2001 s/s

左上　planetarium 2003 s/s
右上　perhonen 2003 s/s
左下　tefu tefu 2008-09 a/w
右下　mariposa 2006-07 a/w

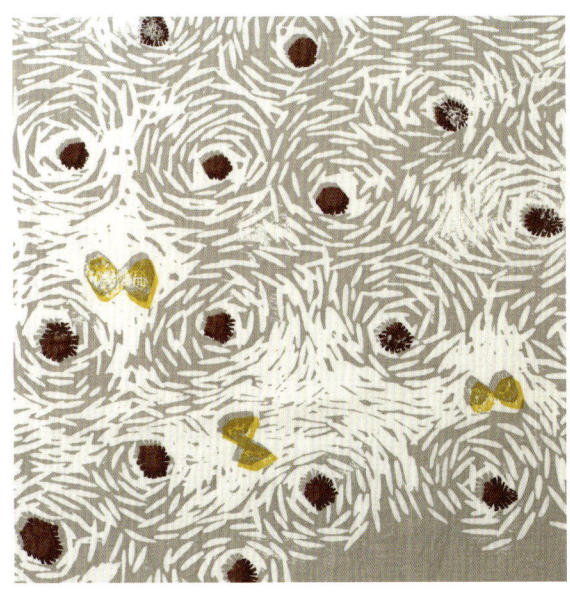

左上　forest wing　2008 s/s
右上　kakurenbo　2008 s/s
左下　papillon　2007 s/s
右下　wonder girl　2004 s/s

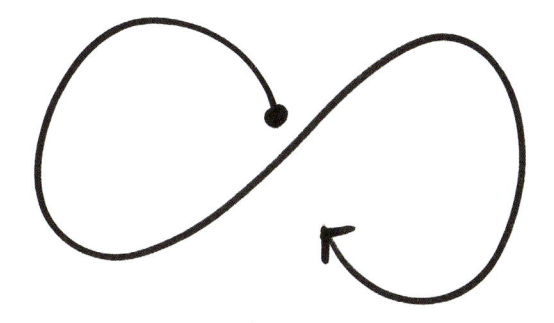

出発地点への到着

ラクガキ

ミナ ペルホネンの表現の中に時折顔を出す「ラクガキ」のような図案。それは、チーフデザイナーである皆川の持つデザインの振れ幅の現れだ。特に「zoo（ズー）」（2003 s/s）という柄は、皆川の中でも、それまでとは違う新しい表現となった。たくさんの想像上の動物を発色の強い色で描きためて切り抜き一枚の紙の上にバラまいたもの。頭と手を自由にして描く「ラクガキ」は、ある意味、デザイナー自身の本当の姿なのだが、できあがってみれば本人にも思いもよらない勢いや形が紙の上にあった。それが顔料でプリントされることでさらに躍動感のあるテキスタイルとなった。

プリントは、一枚の絵を描くことと似ている。そのときの視点や考え方、精神状態がそのまま形になって浮かんでくるので、以前からの構想と描く瞬間の自分が混ざり合い、そのときにしか描けないものが生まれてくる。「そのとき一度きり」という偶然性が、布として複製されていくことがおもしろい。

別
ピタコク

ピロク

zoo 2003 s/s
原画

手紙

ショップから毎日届く皆川への日報は、その日にスタッフが感じたさまざまなことが綴られる。皆川からもショップへ、しばしばその日の思いを書いてファックスを流す。パリへ新作発表に出かけている間も書く。どこにいても、ささやかな気づきや小さな発見を書き留めてスタッフに伝える。それは手紙のようでもあり、皆川自身がその日の気持ちや自分たちの向かいたい方向を確認し直す作業にもなる。

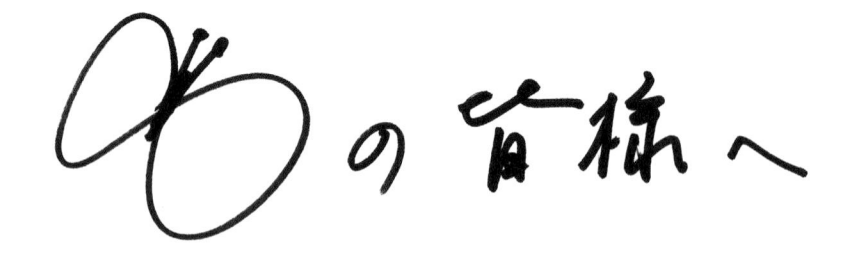

その皆様へ

白京の皆様

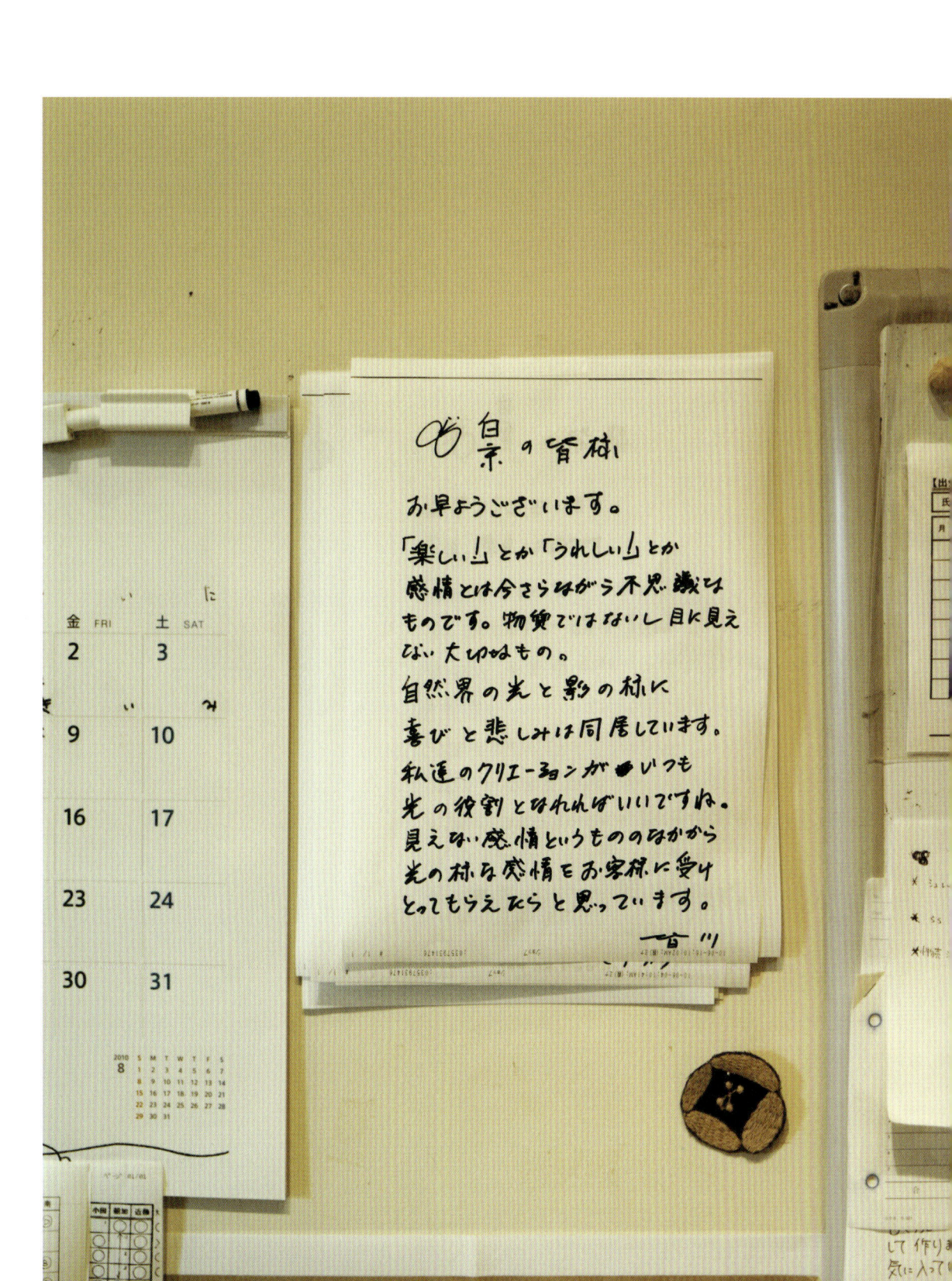

お早うございます。
「楽しい」とか「うれしい」とか
感情とは今さらながら不思議な
ものです。物質ではないし目に見え
ない大切なもの。
自然界の光と影の様に
喜びと悲しみは同居しています。
私達のクリエーションがいつも
光の役割となれればいいですね。
見えない感情というもののなかから
光の様な感情をお客様に受け
とってもらえたらと思っています。

一育川

直感

直感を信じる。直感は経験から瞬時に導かれた最善の答えなのだ。

私は矛盾が好きで、
考えが振り子の様にゆれながら
答えが定まらない。
そこに思いをめぐらせているのが
私は楽しい。
物事も思考も動いているのが
好きなんだと思う。

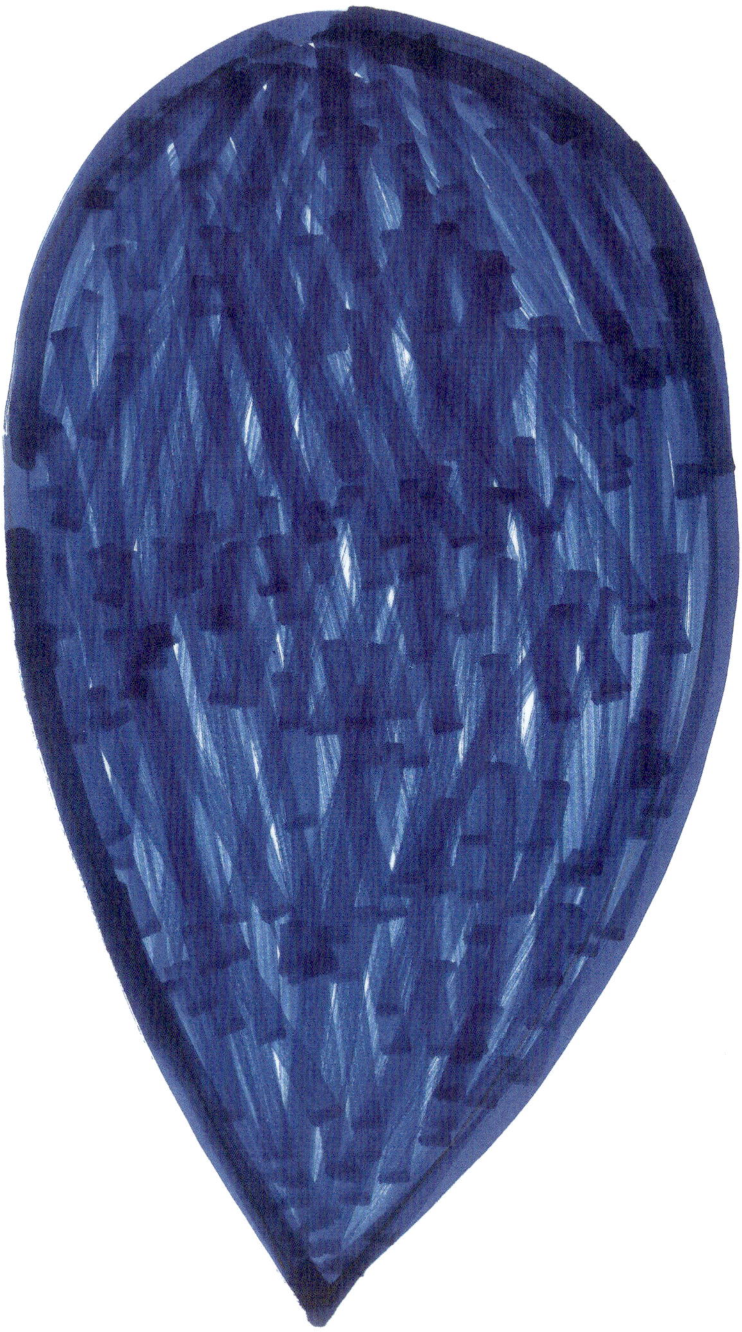

ドローイング

図案を描く前にアイデアスケッチを描きためながら形にしていくとき、デザイナーは思いを手に伝達している。どんな風に描いていくかを手に確認させている。一回描いてみたとき、発見や新しい気づきがあったとき、どんどん試して描いていくと、新しいものが見えてくるときがある。鳥の群れを描いているうち、幾何学的な模様になることもある。感情のままに、頭が手の動きに追いつかないぐらいに勢いを持たせて描きつけるものもある。そうしてスケッチブックにたくさんの習作を残し、いざ、図案を描き始めるときはいつも、駅伝のスタートラインにつくような緊張感を覚える。今まで描きためたスケッチの残像が、白い画用紙の上にぼんやりと浮かんで見えてくる。描こうとする線が紙の上にうまく投影されたら、アッという間に仕上げる。といっても何日間かは眺めてみたり、途中、気持ちのズレを感じて描き直したりしながら、数日かけて一枚を描き終える。

自分の絵が上手いのか下手なのかはどちらでもかまわない。気に入ったかどうかが大事だと思う。

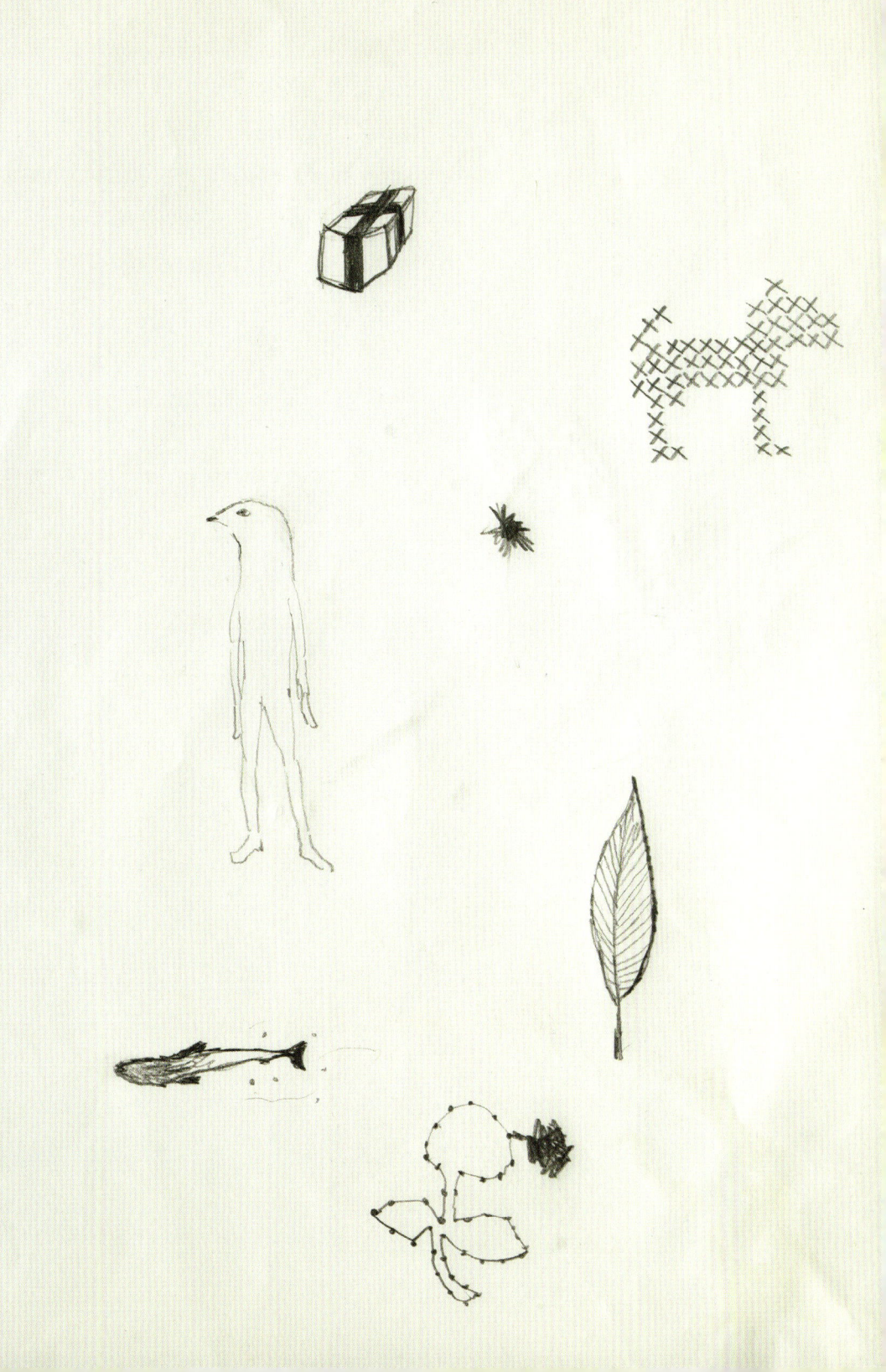

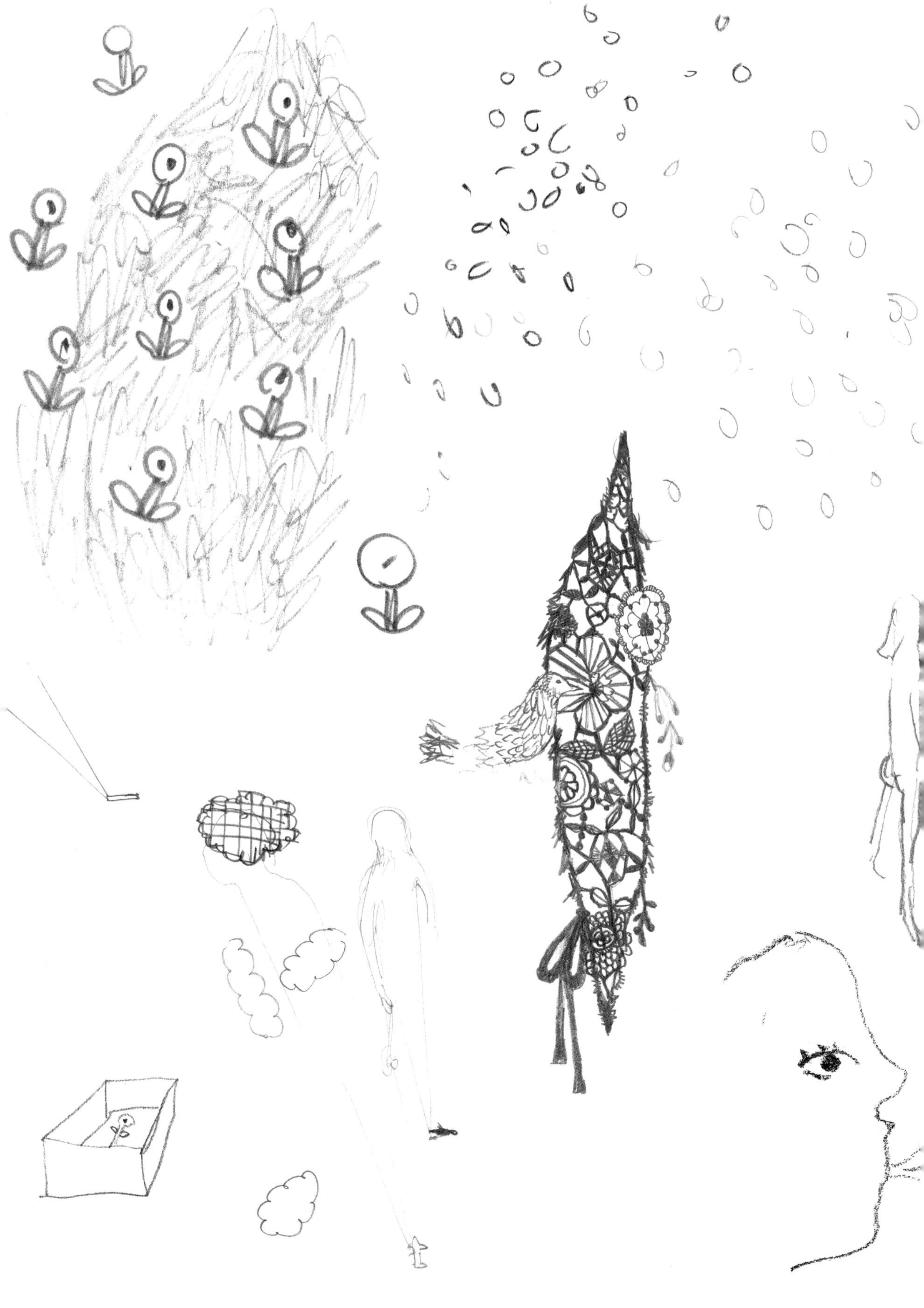

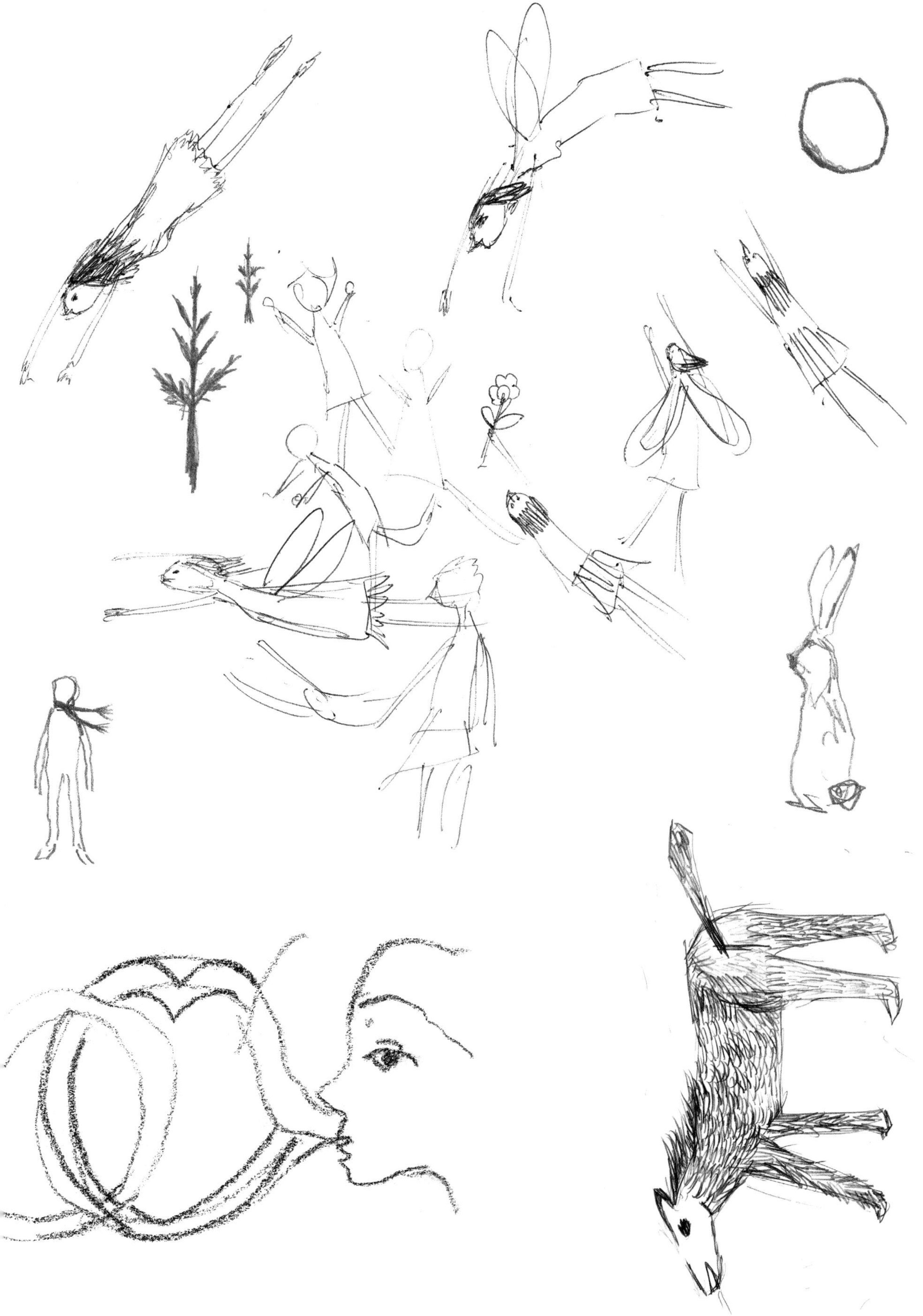

フィンランド

フィンランドは、ブランドを始めた皆川が、19歳の冬に初めて訪れて強い共感を覚えた土地。この旅で皆川は、肩に力が入らず、それでいてとても洗練されたデザインに触れた。ブランドをあげると、マリメッコ、イッタラ、アラビア。デザイナーではアルヴァ・アアルト、カイ・フランク、タピオ・ウィルカラなど。自然と共存するという考え方とものを長く愛用するというライフスタイルがベースにあり、デザインが生活に溶け込みながらもデザイナーの個性を感じる表現力があった。

家具や雑貨のみならずファッションも生活デザインの一部としてあることにも強い共感を覚え、「生活デザインとしてのファッション」がミナ ペルホネンのものづくりにおける根幹となった。

ずっと旅をしにきたまま自然と人を見ていたい。

marimekko
marimekko
marimekko

SPÅR
7
avg. tid
10.00
junan numero
tågnummer
määräasema
bestämmelsestation
67 ROVANIEMI
VAASA VASA
7
6

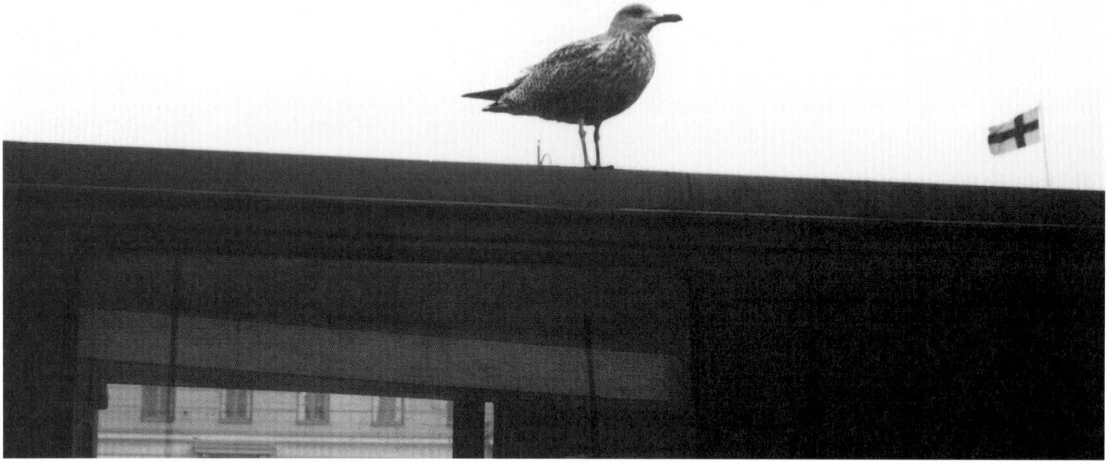

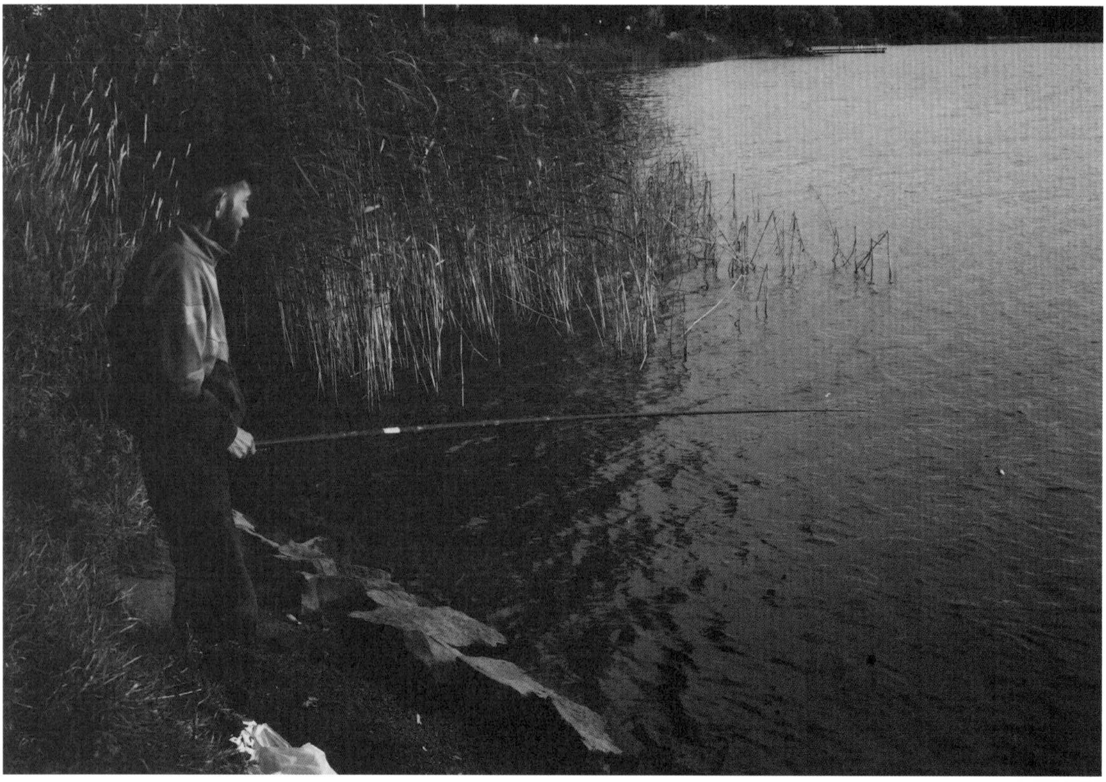

皆川が初めて旅したフィンランドで撮影した写真

19才の旅の延長にいるのかもしれない。

既製服

既製服でありながら、パーソナルな愛着を持てる服をつくれたらと考える。「ミナ ペルホネン」の前身「ミナ」が、フィンランド語で「私」を意味するひと言から始まったように、着てくれる人それぞれの「私らしさ」の中に、ミナ ペルホネンの服が溶け込むようにあれたら、という願いがある。

その人が服と過ごす時間を考えたとき、その時間が想像に満ちたものであるとうれしい。例えば「forest（フォレスト）」（2000-01 a/w）というプリント柄から生まれたスカートは、図案の中に時間の経過をとじこめたもの。鳥が飛んできて柄の中の小枝をひとつ、つまんでいった。森の中を縫うように飛ぶ鳥。くちばしには小枝がひとつ。ふと森の中を探せば、どこかに小枝のなくなった木が見つかる。静止した絵の中にも時間が流れ、一枚のスカートに物語がもたらされる。

「kakurenbo（かくれんぼ）」（2008 s/s）というネイビーの生地にうっすらと見えるサークルの内側には、実はちょうちょが隠れている。サークルの表面の布をハサミで切ると、中からちょうちょが現れる。好きな場所にはさみを入れて、ちょうちょを表へと誘い出すのは、ドレスを手にしたその人自身。工業製品としてつくられた全く同じ何着ものドレスを、パーソナルなたった一枚の服にする可能性を探り、このドレスが生まれた。

また、スポーティな印象が多いダウンコートに、感情としての温かさを通わせたくて、2005年からオリジナルテキスタイルでダウンコートを仕立てる試みを続けている。「ballade（バラード）」（2007-08 a/w）は、冬の散歩道、強い生命力で雪を溶かし、顔をのぞかせるけなげな花を描いた柄。この生地で仕立てたダウンコートは、ミナ ペルホネンの中でも印象に残る組み合わせとなった。身に着けたときに心がふと持ちあがるような気持ちにする、それがデザインのスイッチだと思う。

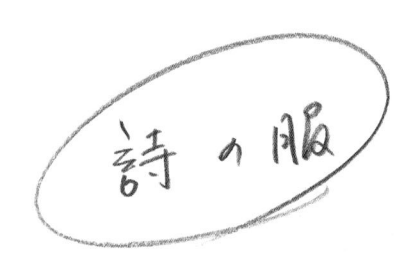

詩の服

kakurenbo 2008 s/s

パリで行ったファッションショーではドレスにはさみを入れるパフォーマンスでちょうちょを見せた。

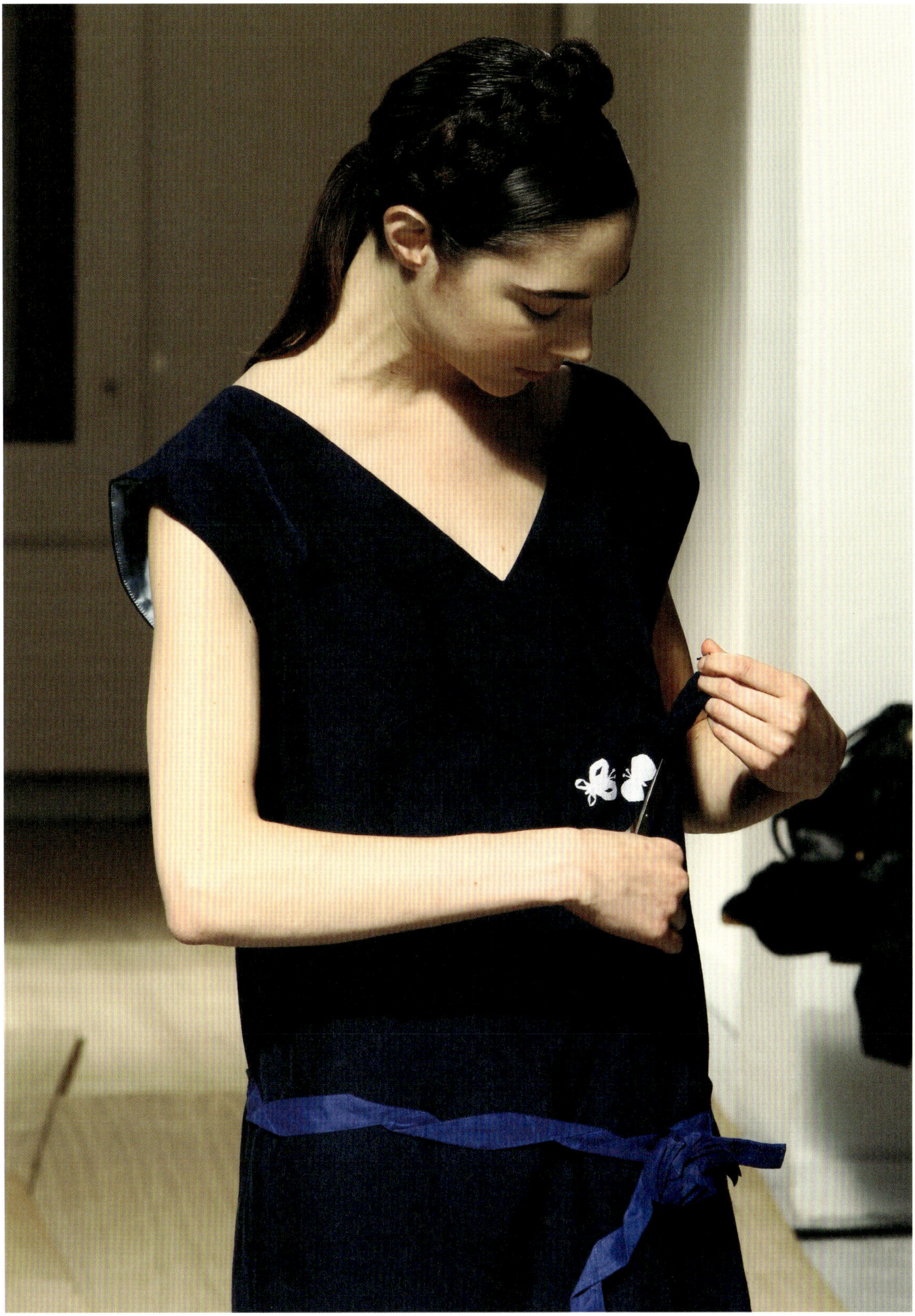

機能

ミナ ペルホネンのデザインが形になるとき、詩のようでありたいと考えている。生活の詩のようであり、社会への書簡のようでもあるもの。単なる情報ではなく感情を含んでおり、デザイナーの世界観や哲学から出発しているもの。それが人々の生活を照らし、喜びに満ちたものとなることが、デザインの役割であり機能だと思う。一過性のものではなく、長い時間、人と共生してゆけるような、生活に寄り添えるデザインであるように。そしていつの日か、雲のように、草花のように、水のように、美しさの説明を必要としないものに辿り着けたらと思う。

言葉では説明的になってしまうことを
絵にして感情を伝えようとする。
それを服の形の中に収めてみる。
それが私たちのやり方なんだと思う。

ballade 2007-08 a/w (coat)
goose 2006 s/s (bag)

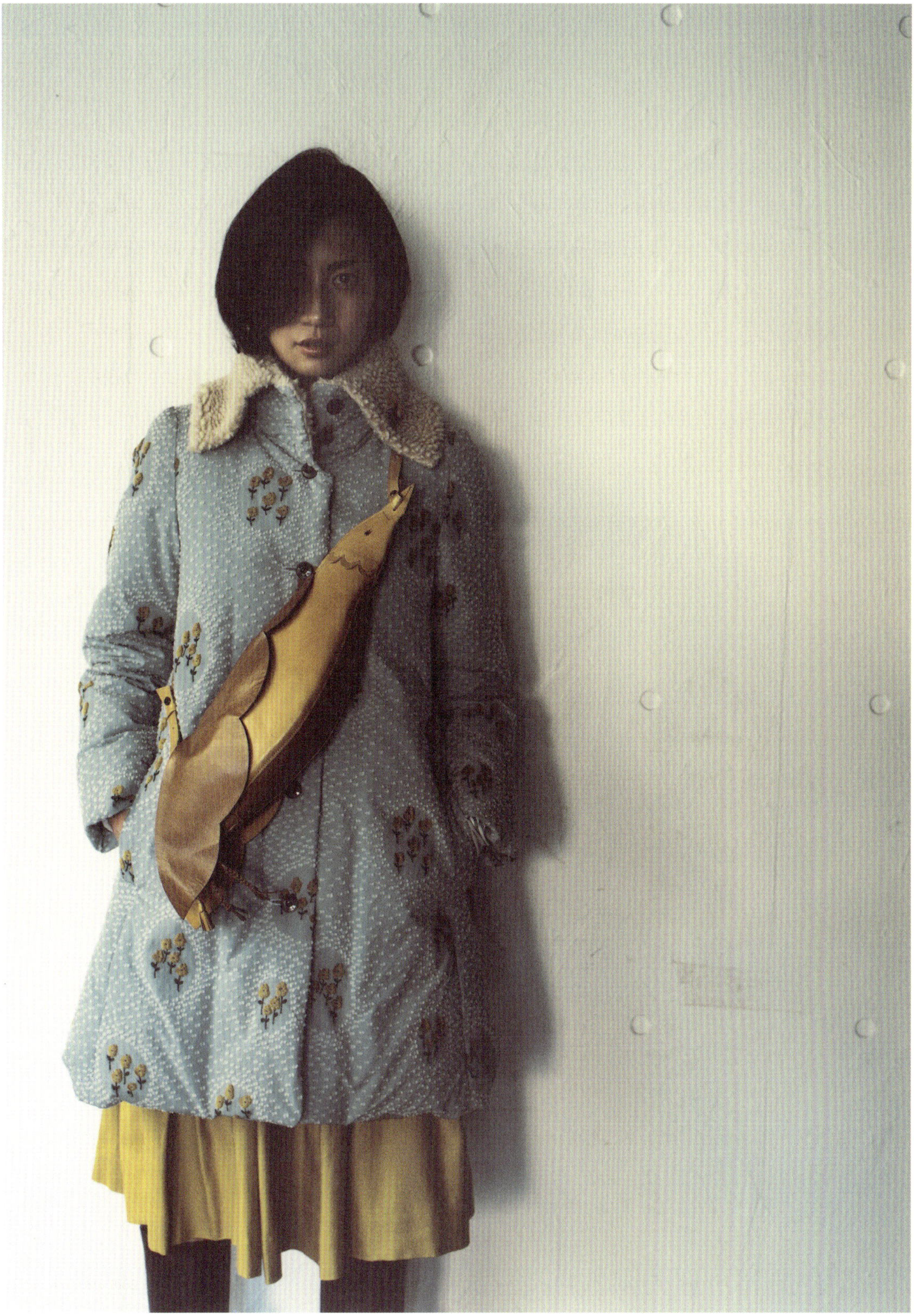

パリ

パリにはヨーロッパを中心に、世界中のバイヤーが訪れる。日本国内か海外か、という区分ではなく、自分たちの考えに共感してくれる人が世界中のいろいろなところにどれほどいるのか、ということに興味があり、海外での新作発表を始めた。最初に見せたのはロンドンで、2004年秋冬シーズンの発表を行った。パリで発表を始めたのは2005年春夏シーズンから。2006年の春夏には、友人であるダンサーの安藤洋子が、所属するダンスカンパニー「フォーサイスカンパニー」のダンサーを数名集めてくれ、ミナ ペルホネンの洋服を着て踊りでシーズンを表現してくれた。

海外での展開を急いでいるわけではない。少しずつでも、世界中のあちらこちらに、ミナ ペルホネンを着てくれる人、ミナ ペルホネンのデザインに共感してくれる人がいて楽しく過ごしてくれていたら、という想像はとても楽しい。

*自分達らしい事しか
結局 伝える力にならない
から その自分達らしいを
磨いていくしかない。*

パリで行った2006年春夏のプレゼンテーション。安藤洋子などダンサー数名によるダンスパフォーマンス。(写真はダンサー、マーツ・クルメンナッハ)

蚤の市

ミナ ペルホネンでは海外で見つけたアンティークをお店に並べている。皆川もスタッフも、蚤の市めぐりが大好きだ。誰かの手づくりのへんてこ人形、限定された用途のための使い古された道具、ものが誰かに長く愛されてきたあとを見るのは気持ちが良い。蚤の市の活気や旅先での人とのやりとりも楽しい。出張先で早起きして散歩したり蚤の市に行ったりするのは、お気に入りの時間。

> 何のために作ったのか？
> 誰が使っていたのか？
> どこにあったのか？
> いつ作ったのか？
> ものに刻まれた時の経過が
> 何とも愛おしくて
> 連れて帰りたくなる。

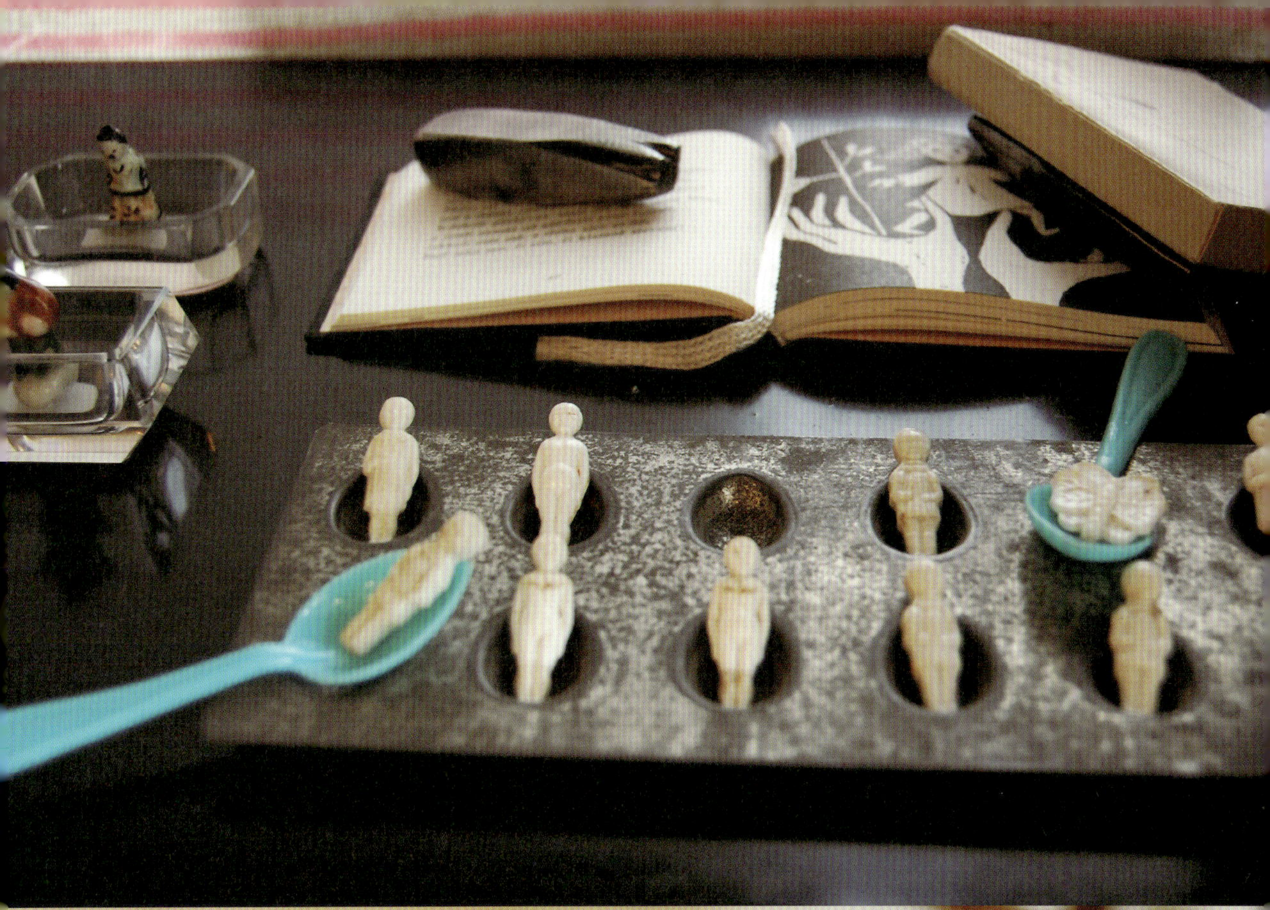

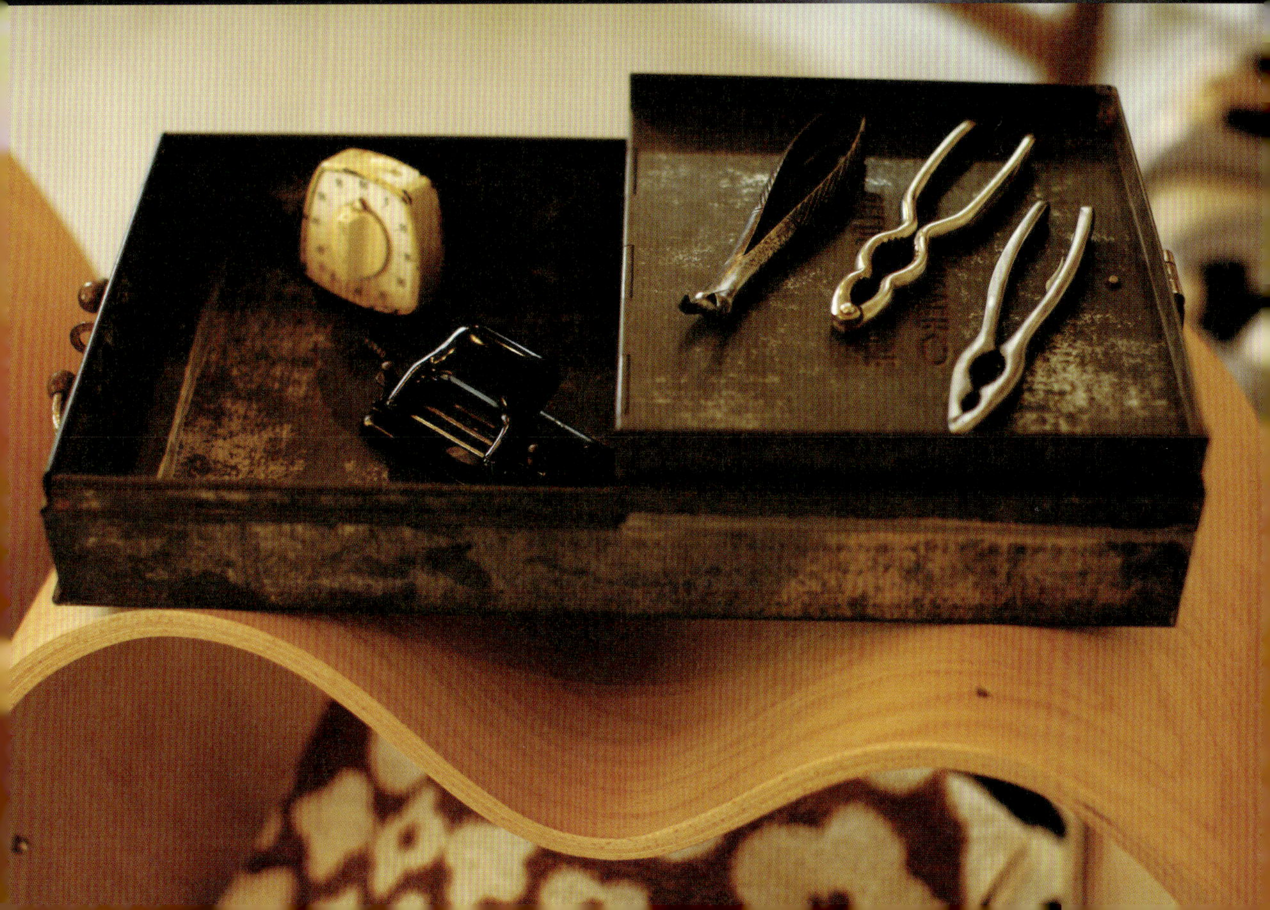

反復

人生は繰り返しながら常に変化する。同じことを繰り返し、同じ歩調、同じ歩幅で歩き続けても、景色は変わり、同じ場所にはいない。そうした繰り返しの中で、人は新しいことに気づき、物の深さを知り、自分を理解するのだと思う。

1997年秋冬に「flower garden（フラワーガーデン）」という名前で初めてマルチカラーのストライプをつくってから、マルチカラーのストライプはミナ ペルホネンが繰り返し取り組む柄となった。「multistripe（マルチストライプ）」（2000年春夏）は、その後取り組むたびに配色を変え、また色によって糸の質感を変え（2000年秋冬）、そしてストライプの幅を変えていく（2001年春夏）、というように発見と試みを繰り返し楽しいストライプの可能性を見つめていった。あるときは、表のストライプと裏のストライプのピッチが異なるようにして、表裏の妙を楽しんだ。またあるときは7色を11種類の幅のストライプで表現することを思いついて、7×11＝77通りの縞をさまざまに組み合わせることで、柄の1リピートを約25メートルもの長さにした。25メートルもの長さで同じストライプが現れないので、そこから生まれたドレスはほぼすべてが「一点もの」。工業製品でありながら、一枚一枚のドレスが特別な一着になる、ということにトライした。その先に生まれたのが「festival（フェスティバル）」（2004-05 a/w）。マルチストライプにドットを加えて、スポットライトが踊るような図案ができあがった。今、やっていることの延長線上に新しい道をつくろう。毎回違うスタートラインに立ち、毎回ゼロから始めるのではなく、同じところを掘り進めてみよう。その先に新しい気づきがあるはずだ。反復と気づきが、時を重ねるうちにブランドの表現や存在を木の年輪のようにゆっくりと太くし、地中の根っこのように強く深く広げていくだろう。

multistripe 2002-03 a/w

布の表と裏で違う表情を持つようにつくったシーズン。表のストライプはランダムな幅で、裏のストライプは細めで一定の幅のピッチとなった。

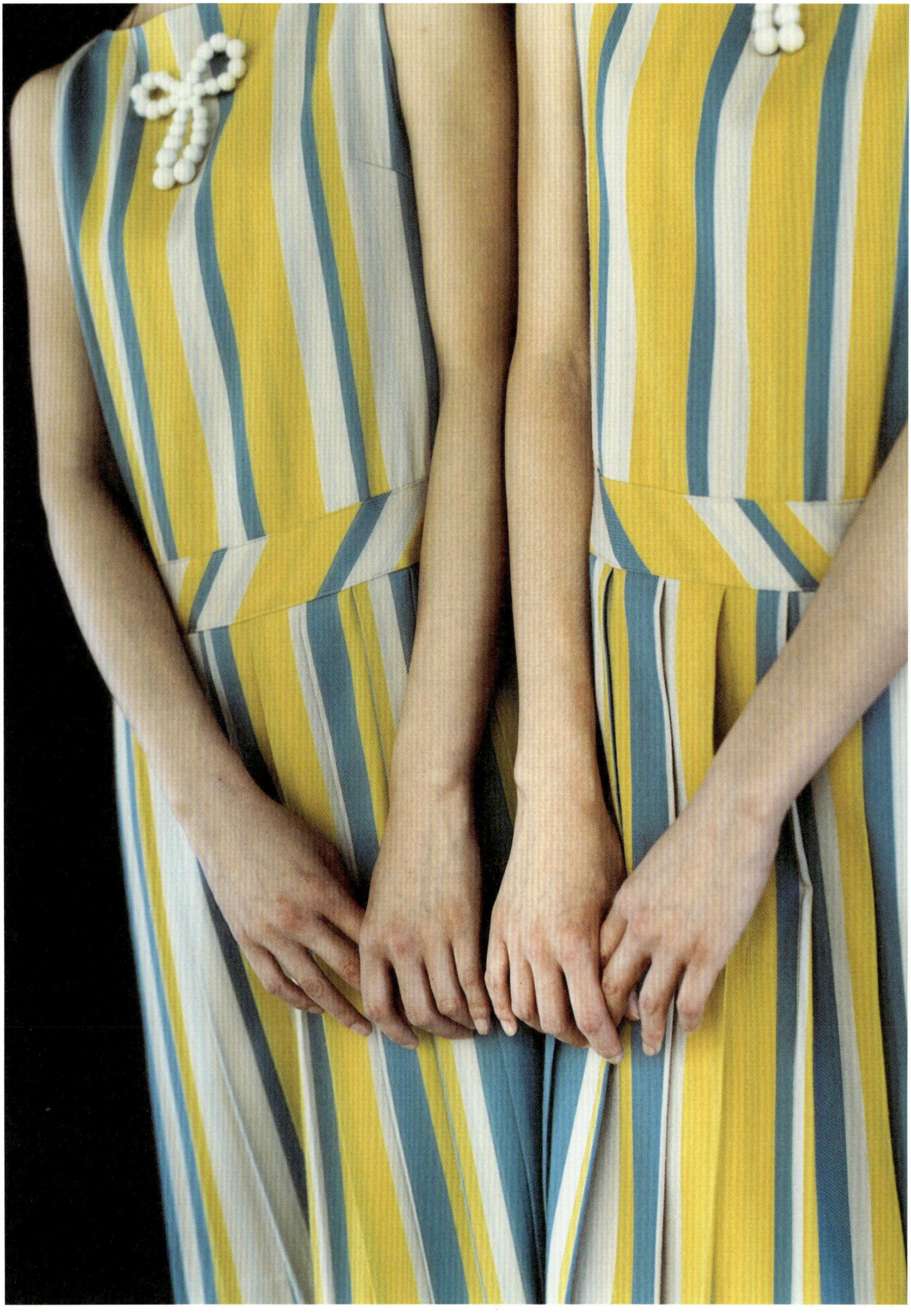

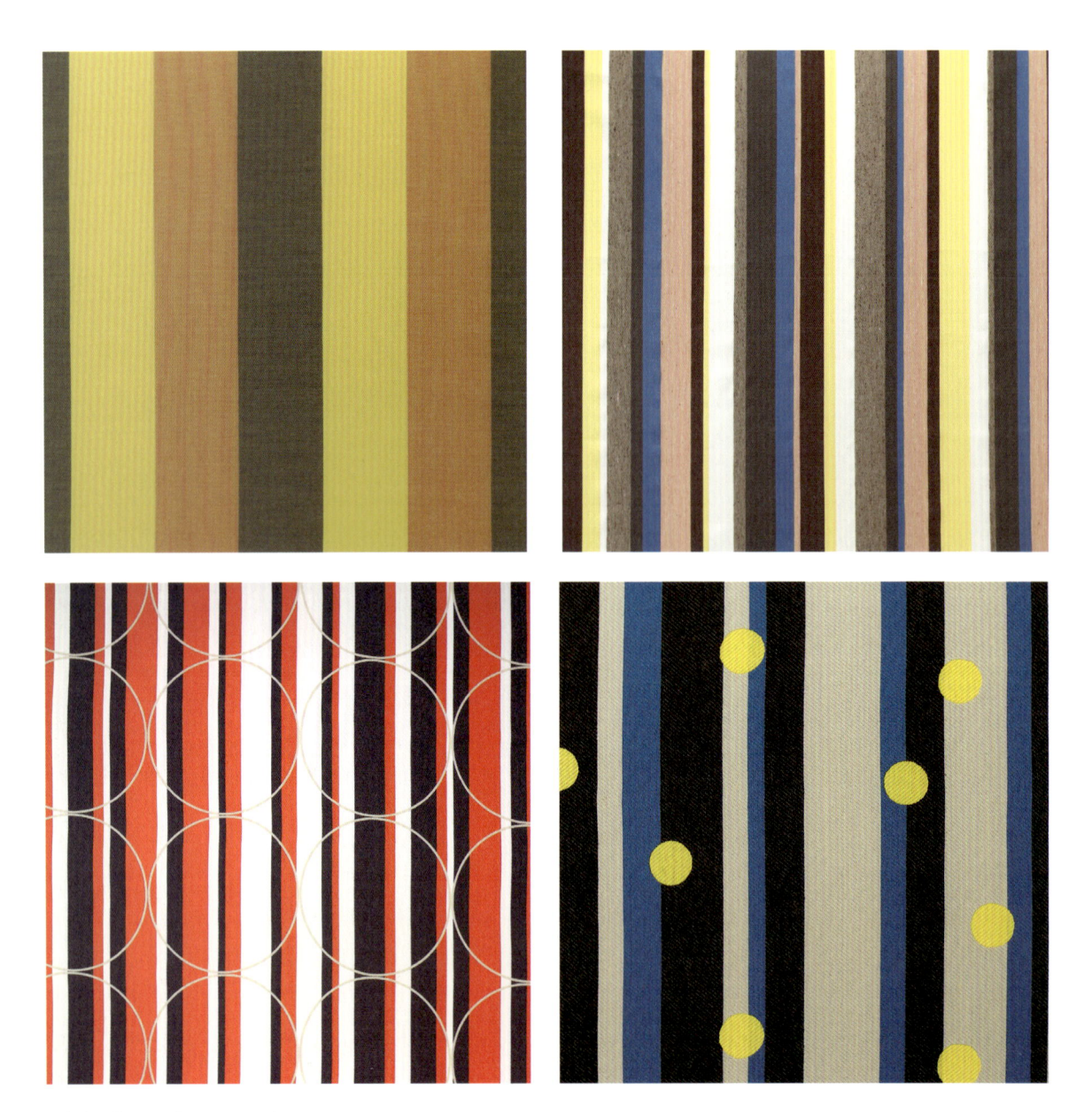

左上　flower garden　1997-98 a/w
最初に発表したマルチカラーのストライプ

右上　multistripe　2001 s/s
素数のしくみを使って、柄のリピートを約25mもの
長さにした、マルチカラーのストライプ

左下　multistripe　2005 s/s
ストライプに大きなサークルを組み込んだ9作目

右下　festival　2004-05 a/w
マルチストライプにスポットライトのような黄色が
組み合わされた

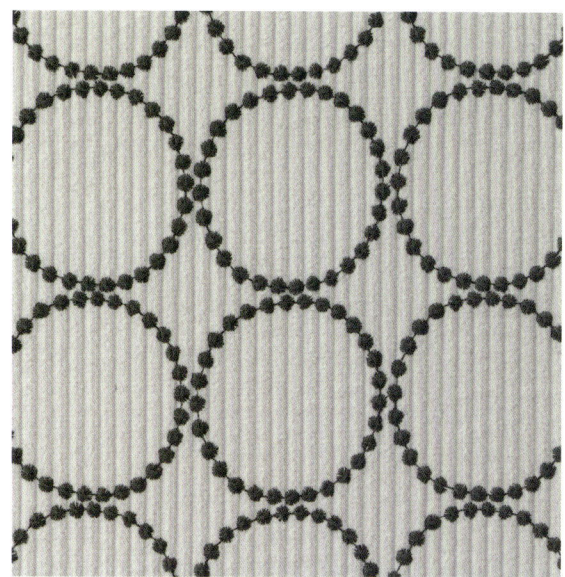

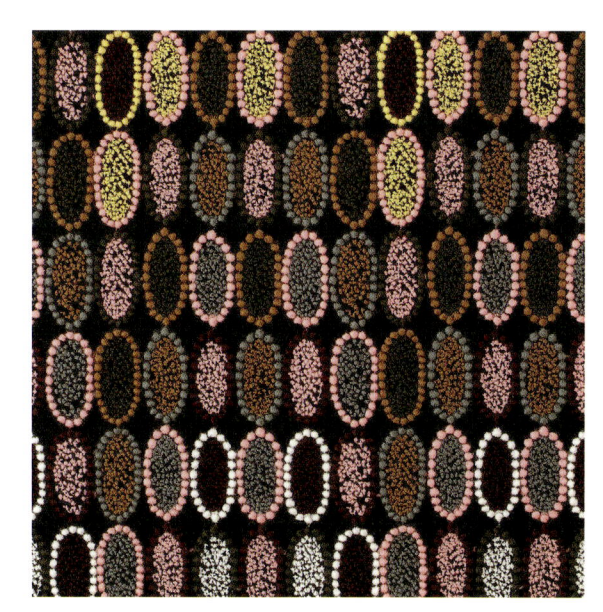

左上　tambourine 2000-01 a/w

右上　tambourine grande 2003-04 a/w
　　　スタンダードサイズの2倍に拡大した試み

左下　tarte 2007-08 a/w
　　　ショーケースに並ぶケーキの彩り豊かな表情に

右下　raindrops 2009 s/s
　　　タンバリンの裾から滴がこぼれ落ちて揺れる

繰り返しているうちに
見えてくるものがある。
そのうちに違う次元に
いってしまう。

ミニバッグ

「mini bag（ミニバッグ）」の誕生は、ブランド設立と同じ1995年。初めてつくったオリジナルファブリックで洋服をつくったときに、大きめに残った切れ端が愛おしくて、もったいなくて捨てられなかった。その切れ端から生まれたのが「ミニバッグ」だ。小さくてあまり物は入らないが、つくり重ねるうちにブランドを語るアイコン的な存在となった。オリジナルで服地をつくることへのこだわり、服地への愛着から余り布の価値を生かしたいという気持ちを、「ミニバッグ」の集積が伝えてくれている。今までにつくられた「ミニバッグ」は900種以上。それらを見ていると一つひとつの布から思い出されることがある。自分たちにとっては日記のような存在でもある。

ミニバックは私達の道標の様に
今のものづくりの方向を示してくれていた
ことに気づく。
素材をムダにしないということにものづくりの
基本がある事をミニバックを作り続けて
こられた事で私たちは忘れないで今日まで来た。
これも私たちの大切な遺伝子の一つだと思っている。

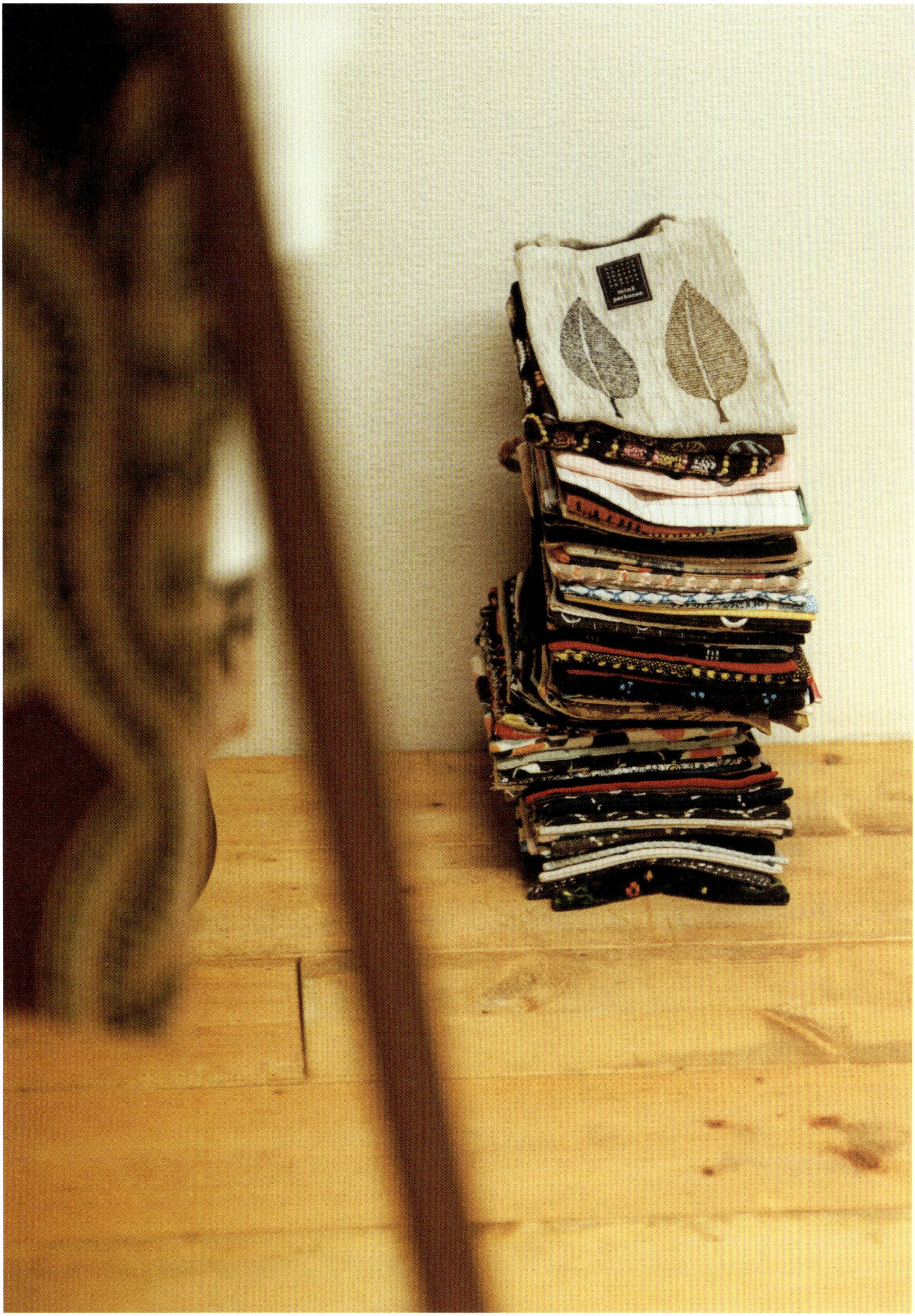

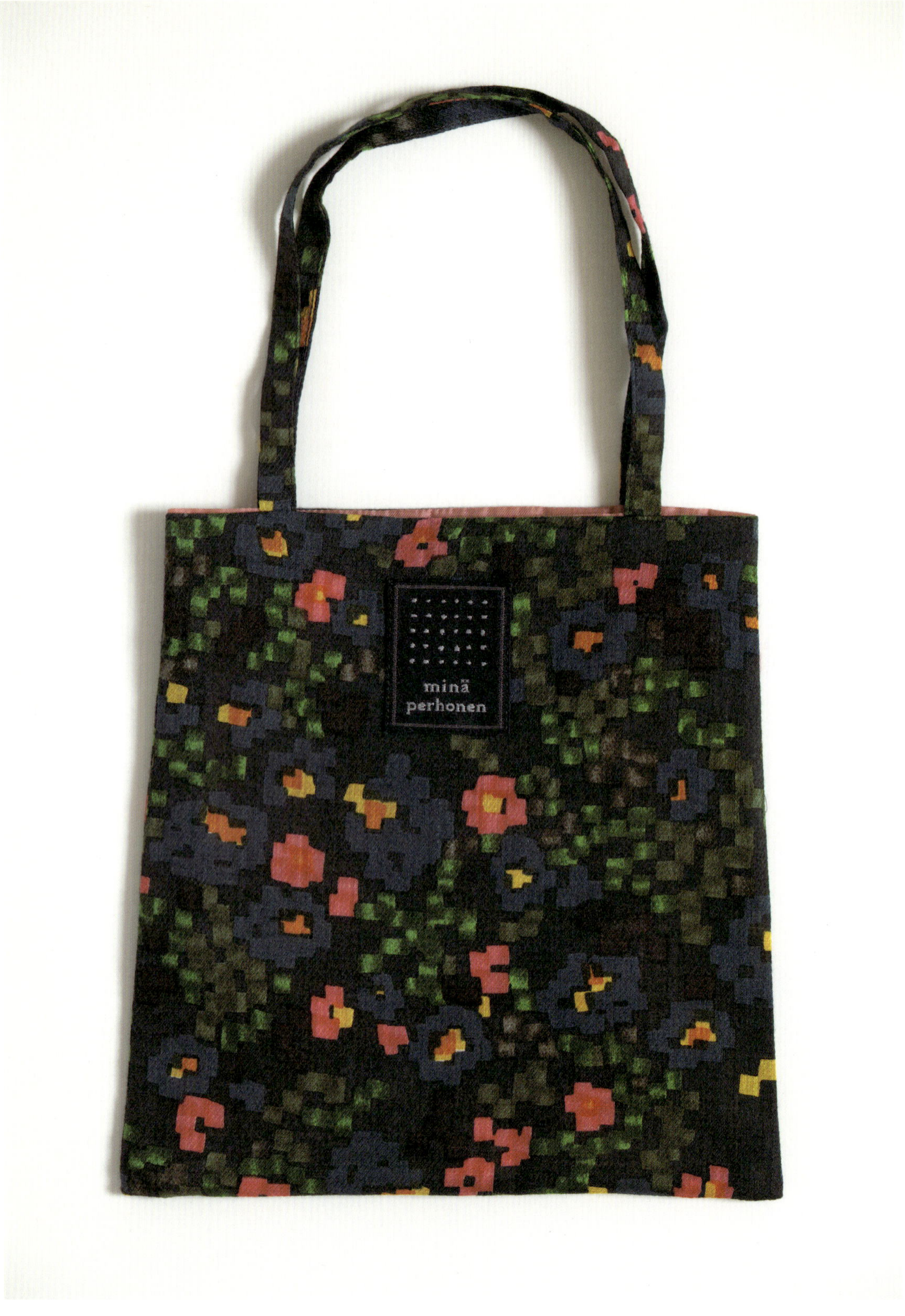
minä
perhonen

左頁　flower bed　2006-07 a/w

左上　wind　1999 s/s
右上　ringo　2001 s/s
左下　sun moss　2008 s/s
右下　mermaid　2000 s/s

たまご

「mini bag（ミニバッグ）」と並びミナ ペルホネンの定番となっているのが、たまごの形をした「egg bag（エッグバッグ）」。この形は、1995年にTシャツを入れるためにデザインしたプラスティックバッグが始まりで、オリジナルのテキスタイルでも同じ形のバッグをつくるようになった。皆川はプラスティックバッグの形を考えていたとき、丸、三角、四角が「基本図形」だとしたら、たまごの形は「命の基本図形」だと気づいて「ミナ」のベーシックなバッグの形をたまごに決めた。丸、三角、四角のように定義のはっきりしていない「たまご形」。産み落とされる様子を想像しながら描く。思ったより側面にふくらみがなく、すとんとしている様子を。産み落とすのに合理的な細さはこんな感じかな、とラインをなぞり形を決める。

余った布がもったいなくて作り始めた
mini bag と egg bag をこんなに長く
作り続けるとは思わなかった。
最初に作ったものが力強く残っていくのは
何故だろう。
熟成するということなのだろうか？
これについて私はまだ明確な
答えが思いつかない。

tile 2001 s/s

トリバッグ

デザインした長江は、見たことのない素敵なものをつくりたくて、このバッグをデザインした。できあがった「tori bag（トリバッグ）」にタマゴを入れようと言ったのは皆川だった。靴職人、大村寛康さんの手を借りて、最初の「トリバッグ」が生まれたのは2000年春夏だ。この鞄（長江はいつもバッグのことを鞄と言う）には、ものを持ち運ぶという機能だけではなく、持つ人の心を高揚させるというはたらきもある。この鞄は、ベースの革や色、飾りを変えて今でも毎シーズン発表されている。

> 当たり前の様に作り続ける。
> この事は自画自賛して欲しい。
> 青さんの自伝になるのでしょう。
> あかい

tori bag 2000 s/s

160

161

記憶

個人の中に眠る記憶や想像は、いったんデザイナーが取り出して形にするまではおぼろげな存在であり続ける。記憶の断片としての色や光、また「いつか見た景色」から始まる想像が、デザインに物語性をもたらしてくれる。
ここに「yuki-no-hi(雪の日)」という図案がある。皆川が1999年秋冬のために描いた柄。そのころ阿佐ヶ谷にアトリエを構えていた皆川が、雪の降る中、阿佐ヶ谷のアトリエから家へ帰る途中の風景によって思い起こされた記憶を描いた、電柱の姿だ。デザイナーの個人的な記憶に残る風景。けれど生地となれば、それを目にした人の、それぞれの個人的な記憶の中で、この景色は共有のものとなる。

記憶はイマジネーションと
くっつきたがる。
そしていつしか絵画や詩や音楽
となる。

yuki-no-hi 1999-2000 a/w

ドット

ドットやサークル、点の集積。ミナ ペルホネンにとって丸いモチーフは、とてもなじみ深い存在だ。吹きだまりのように片寄った水玉、正円の連なりを描きながら、ある一カ所でバランスを崩したサークル柄、水が入ったビンの底に沈んでゆくかのような丸いかたまり……。たくさんのドットモチーフが生み出されてきた。平面に描かれているドットなのに、それぞれに質量を持っているかのような存在に見えて、テキスタイルの中にある三次元の空間を動いているような奥行きが感じられたらおもしろいと思う。

lambent 2010 s/s

左上　drops 1999-2000 a/w
右上　birth 2003 s/s
左下　circle 2002-03 a/w
右下　superball 2002 s/s

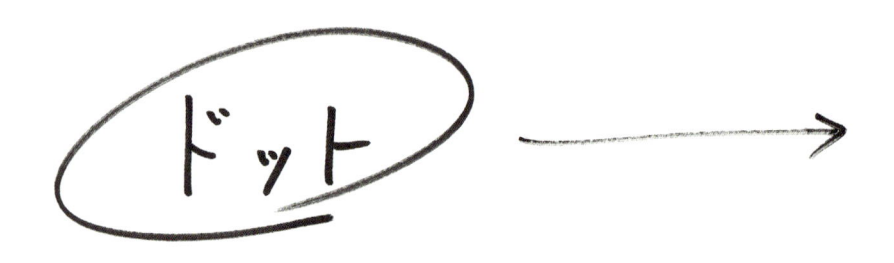

ドット　→

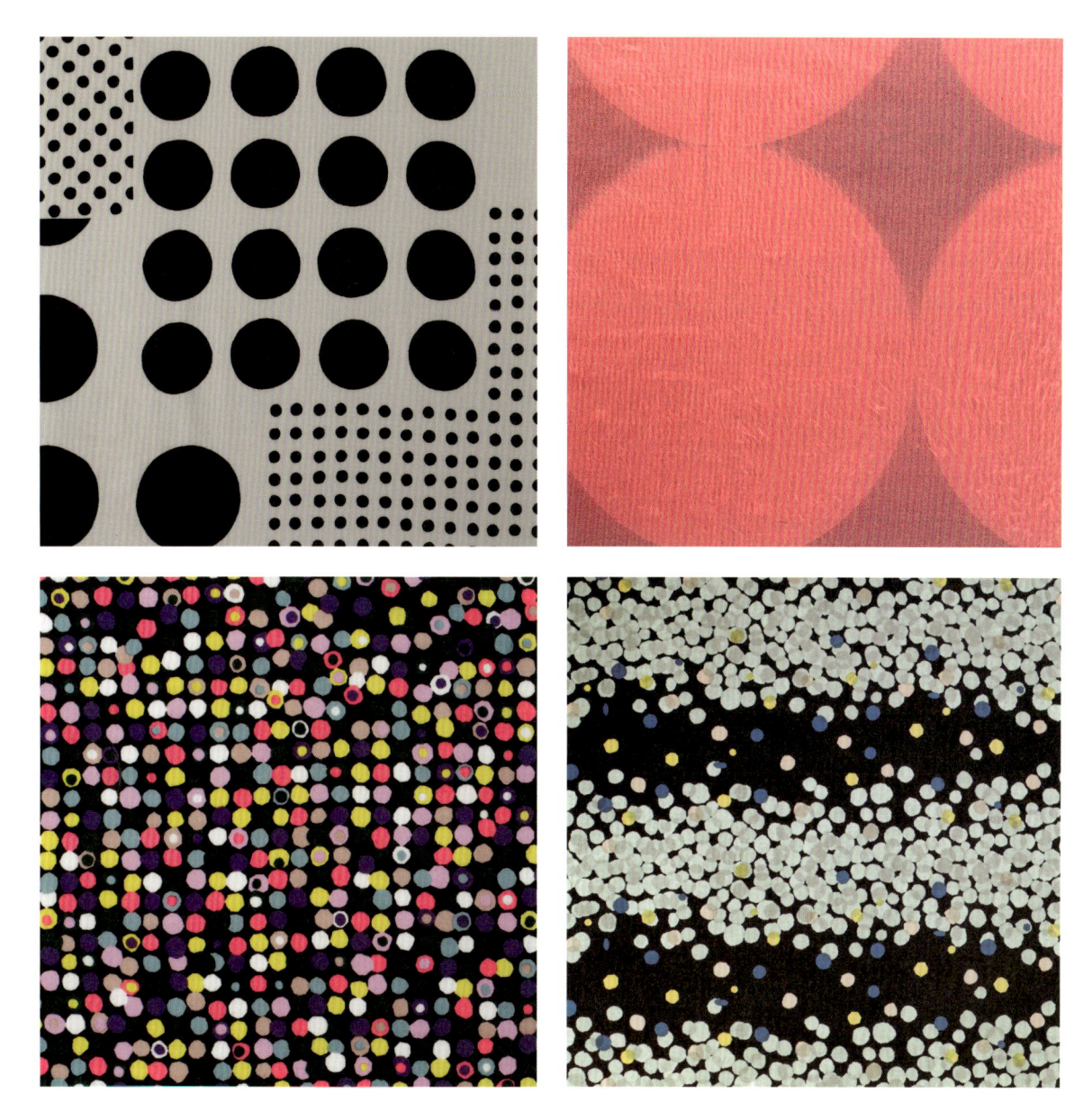

左上　universe　2007 s/s
右上　cat circle　2003-04 a/w
左下　ceremony　2007-08 a/w
右下　glimmer　2009-10 a/w

← 重力

パターン

たった3着の服を見せることから始めた「ミナ」は当初5年ほど、Aラインのワンピースとスカート、スタンダードなシャツブラウスといったシンプルで平面的なカッティングの洋服でコレクションのほとんどを構成していた。織の図案を考える際にも、コートの背やAラインスカートの台形に直接描きこむようにしてスケッチを描きためたものだ。徐々に立体的なギャザーやタックへと視線が移り、パターンにデザインの癖のような特徴を見いだすようになった。袖は全体にギャザーを入れるのではなく、うしろにふくらみを持たせて、まっすぐ腕を下ろしても袖がエレガントに丸みを帯びる。袖口が水平にならずに、正面から見ると手首の奥が少しのぞく。ワンピースのどこかに細やかでささやかなギャザーを入れて、かがんだとき、手を広げたとき、ギャザーの陰影がふいに現れる。スカートのタックをランダムな幅で取り、まるで手で絞ったようなラフな表情を出す。パタンナーのチームは、一人ひとり、常に課題を与えられながら新しいラインを探っている。

図案を描く私とパターンを考える私は
別々に成長し
存在している。
それは私が私に
興味を持っている
部分でもある。

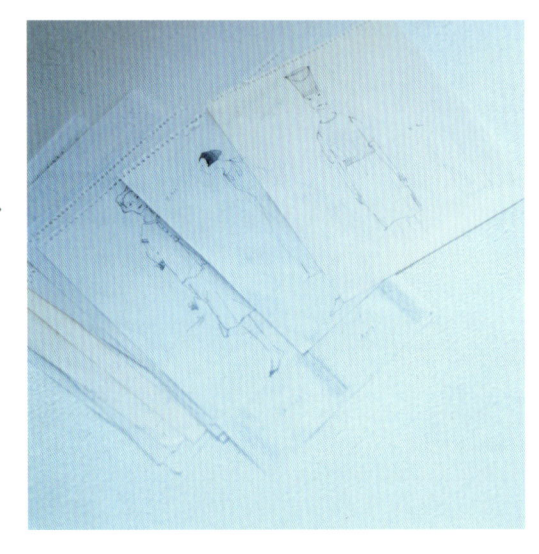

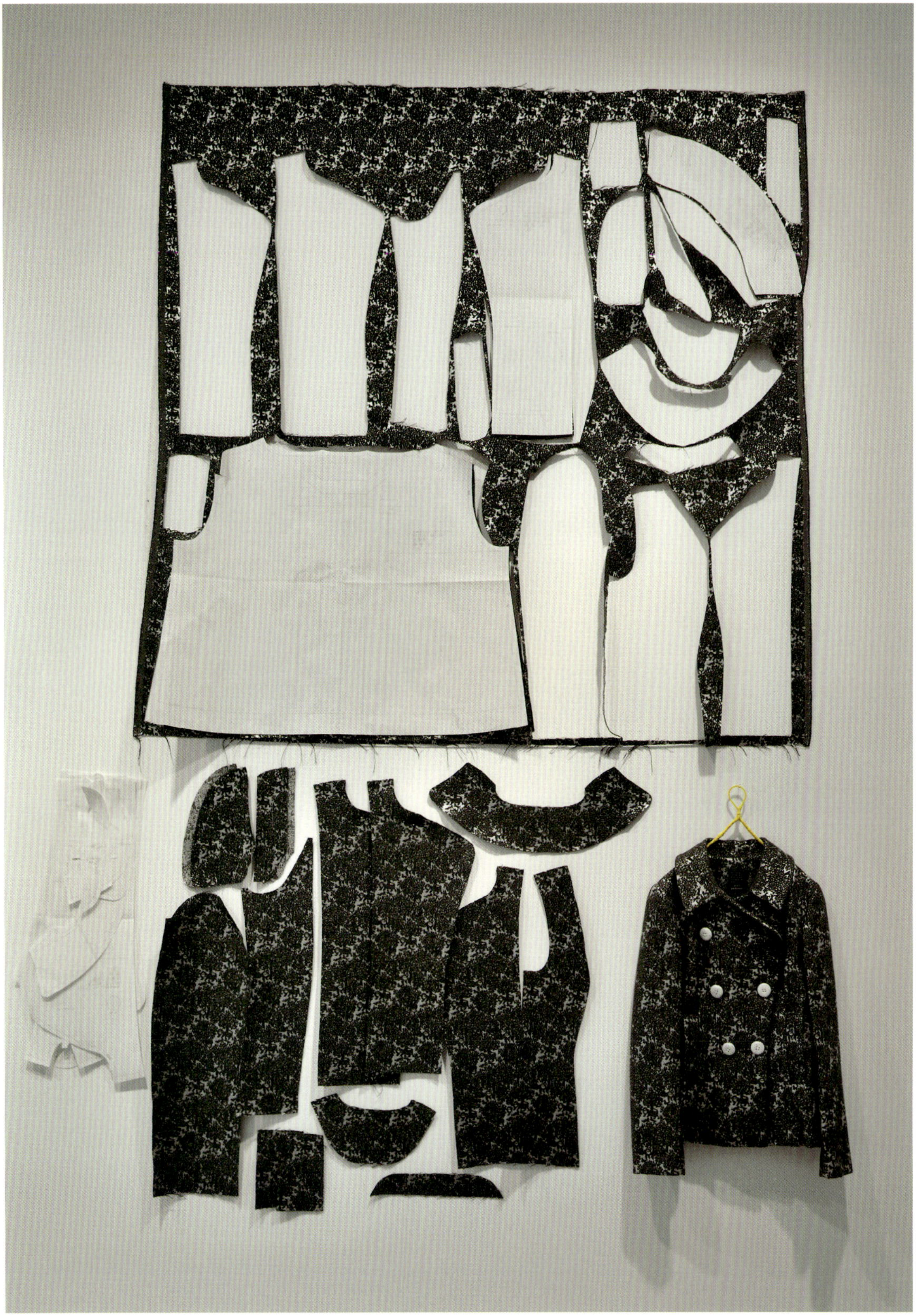

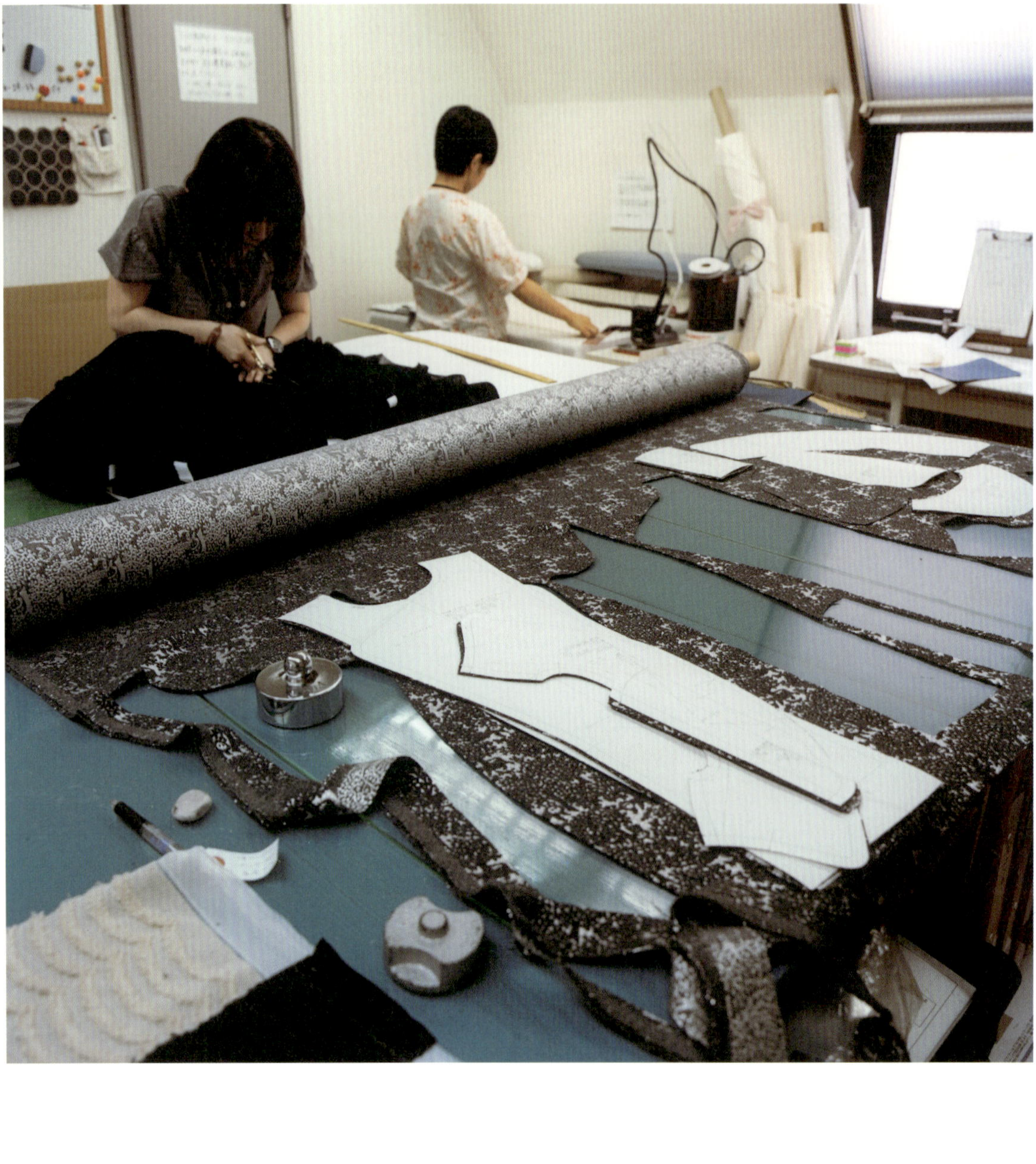

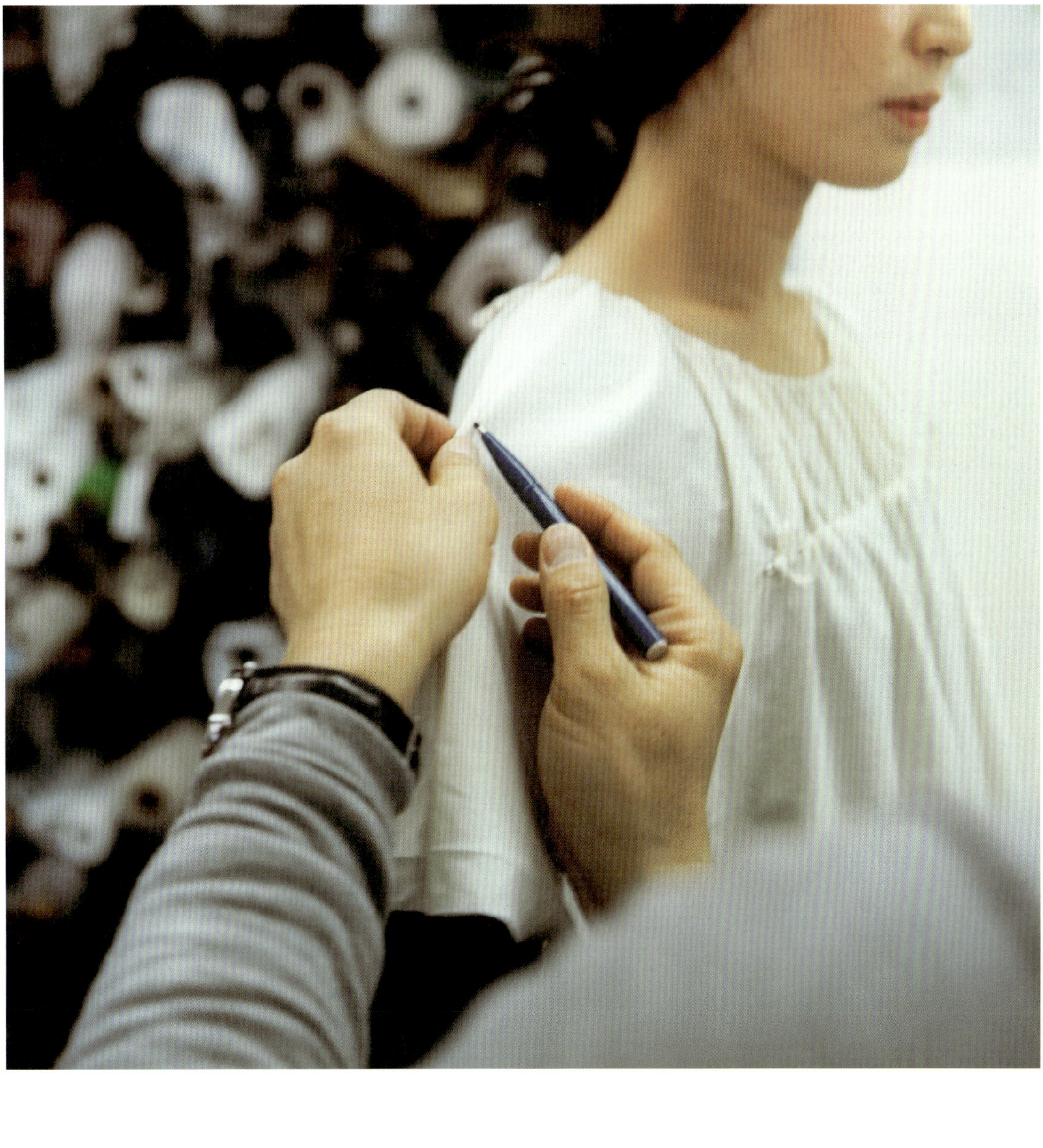

ピース,

手間をかけ、時間をかけてつくられたオリジナルの生地は、洋服に仕立てた後の端切れも含めて私たちの大切なデザインの一部であり、貴重なものだ。私たちは余り布をできるだけ保存するようにしている。洋服の修繕用という目的もあるが、大切な価値あるものだからだ。生地をつくり、洋服に仕立て、販売する、というものづくりのサイクルに、その余り布へのアプローチを加えたいとずっと考えてきた。
2010年、新しいプロジェクトとして余り布への試み「minä perhonen piece,（ミナ ペルホネン ピース,）」を始めた。布を集め合わせて新しいプロダクトを生み出していく。余り布から始まるプロダクトが、自分たちの制作のサイクルに含まれていく。
京都と東京・神宮前につくられた「ピース,」のショップスペースには、ミシンが置かれ、スタッフが時間の合間を見ては制作を進めている。できあがったものはすぐに店頭へ。ミシンを踏む場所とショップのスペースがひとつの空間でつながっている。皆川が以前から望んでいた、そのできたてパンのお店のようなスタイルがミナ ペルホネンのかけらをつなぎ合わせる「ピース,」にぴたりとはまった。

> ミニバッグから出発した私のアイデアは
> piece,によって私たちの
> ものづくりの循環として
> 整った。自転の力を
> 持ったのだろう。

ミナペルホネンピース,（京都）

ラボラトリィ

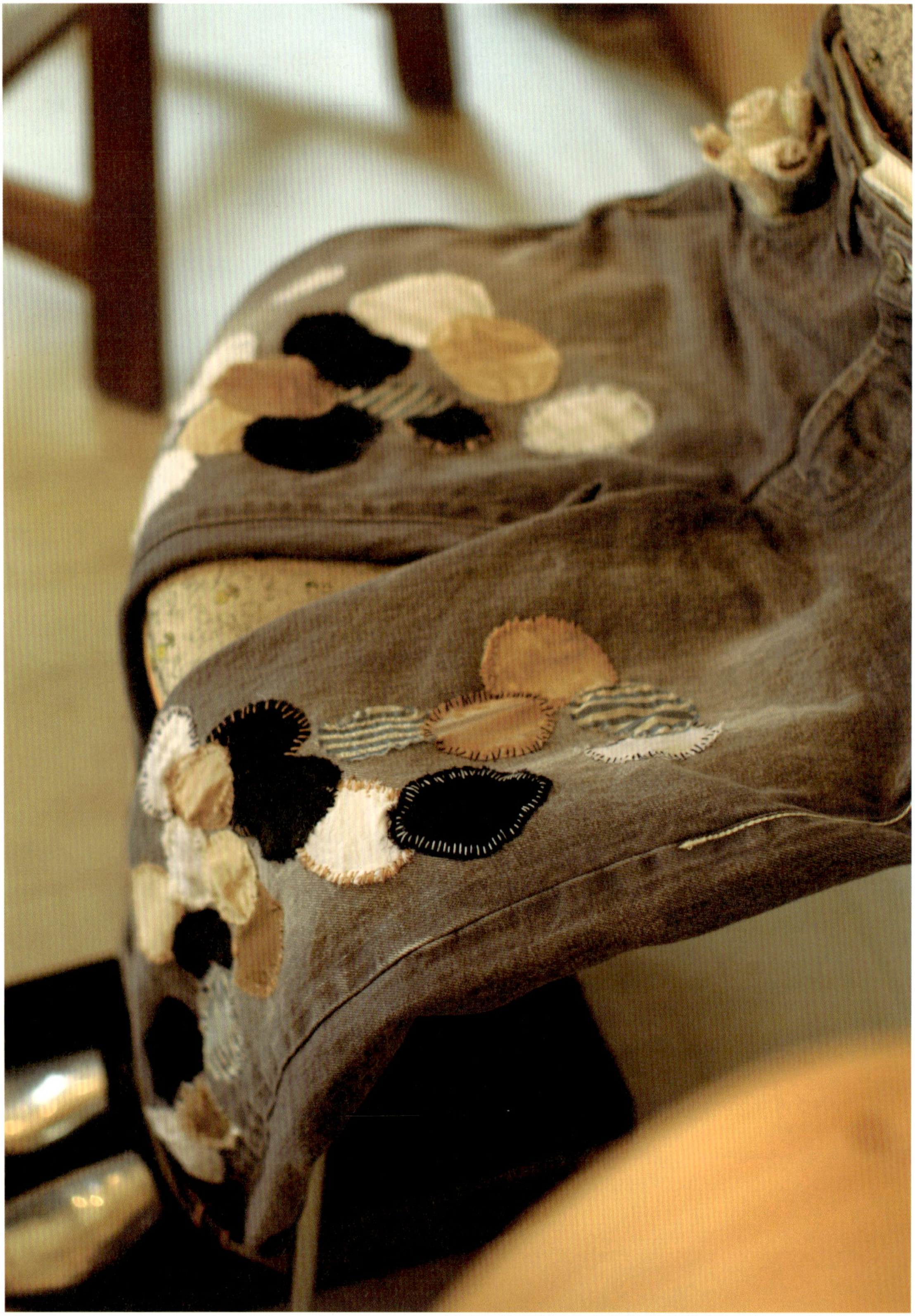

ミナ ペルホネン ピース, (東京・神宮前)

小さくても
変な形でも
バラバラでも
生きてる気がする。

アーカイブ

ミナ ペルホネンは常に過去と未来の間を反復しながら前進を続けているブランド。クリエーションを蓄積し、それを糧に未来へ進むものづくりにおいて、過去は、次々とやってくる未来からの新しい個性を迎え入れ、ブランドを形成していく財産になる。未来だけが切り離されてブランドとともにあるのではなく、過去こそが私たちとともにあって、未来を受け入れていく。
そんな思いで、私たちは過去に発表してきたバックナンバーを今も販売している。京都と白金台に「アーカイブ」を意味するフィンランド語「arkistot（アルキストット）」と名づけたショップを持ち、バックナンバーの洋服やバッグなどを並べている。さまざまな年代のバックナンバーが隣り合わせになる。時をかけて少しずつ加えられたワードローブのように、時の重なりが見つかる場所になったらと考えている。

私たちの通ってきた道を
知っていただく場所。
私たちが振り返れる場所。
未来が留まれる場所。

bird 2000 s/s

nanten 1996-97 a/w	shabondama 1999 s/s	 twist 2000-01 a/w	 balloon 2001 s/s	flower box 2001 s/s	 mori-no-umi 2001 s/s
sunny rain 2001-02 a/w	triangle 2001-02 a/w	  bii-dama 2002 s/s	 garasu 2002 s/s	 honeycomb 2002 s/s	 jellybeans 2002 s/s
 mademoiselle 2002 s/s	 Tama 2002 s/s	 Alps 2002-03 a/w	 billiards 2002-03 a/w	 journey 2003 s/s	moonflower 2003 s/s
 carnival 2003-04 a/w	cat circle 2003-04 a/w	hulahoop 2003-04 a/w	 locus 2003-04 a/w	 twig 2003-04 a/w	wataridori 2003-04 a/w
 multicheck 2004 s/s	 nap 2004 s/s	 papaver 2004 s/s	 wonder girl 2004 s/s	forest girl 2004-05 a/w	happa 2004-05 a/w
 sun bird 2004-05 a/w	 garden 2005 s/s	 multistripe 2005 s/s	 puu 2005 s/s	 seafowl 2005 s/s	 smile 2005 s/s

wish 2005 s/s	cloudy flower 2005-06 a/w	kami 2005-06 a/w	mammoth 2005-06 a/w	snow cookie 2005-06 a/w	berry 2006 s/s
loch 2006 s/s	neighborhood 2006 s/s	ocean 2006 s/s	voleur de fleur 2006 s/s	swan 2006-07 a/w	necco 2007 s/s
rain chukka 2007 s/s	twins 2007 s/s	crayonniste 2007-08 a/w	flower nest 2007-08 a/w	goutte 2007-08 a/w	hanaco 2008 s/s
happy camouflage 2008 s/s	folk 2008-09 a/w	giggle 2008-09 a/w	lyric 2008-09 a/w	bouncy 2009 s/s	cats & dogs 2009 s/s
Mrs.Cloud 2009 s/s	twitter 2009 s/s	fir tree 2009-10 a/w	glimmer 2009-10 a/w	polka 2009-10 a/w	skip 2009-10 a/w
chorus 2010 s/s	tour 2010 s/s	wander 2010 s/s	chum 2010-11 a/w	day dream 2011 s/s	sometimes lucky 2011 s/s

2010年

2010年は、ブランドを始めて15年という時間の集積の地点であり、「せめて100年続けたい」の100年の15%めであり、今から100年後を見ているスタート地点でもある。自分たちの「今」には、常にこの3つの地点がある。私たちは常に、進行中のブランド。完成（終わり）のない道を遠く見つめながら、「今」を大切に進むブランドでありたい。

私のものづくりやデザインへの考え方が年輪のように軸を持ち少しずつ重なっていきたい。
終着点がないことを目指して進んでいけたらと思う。

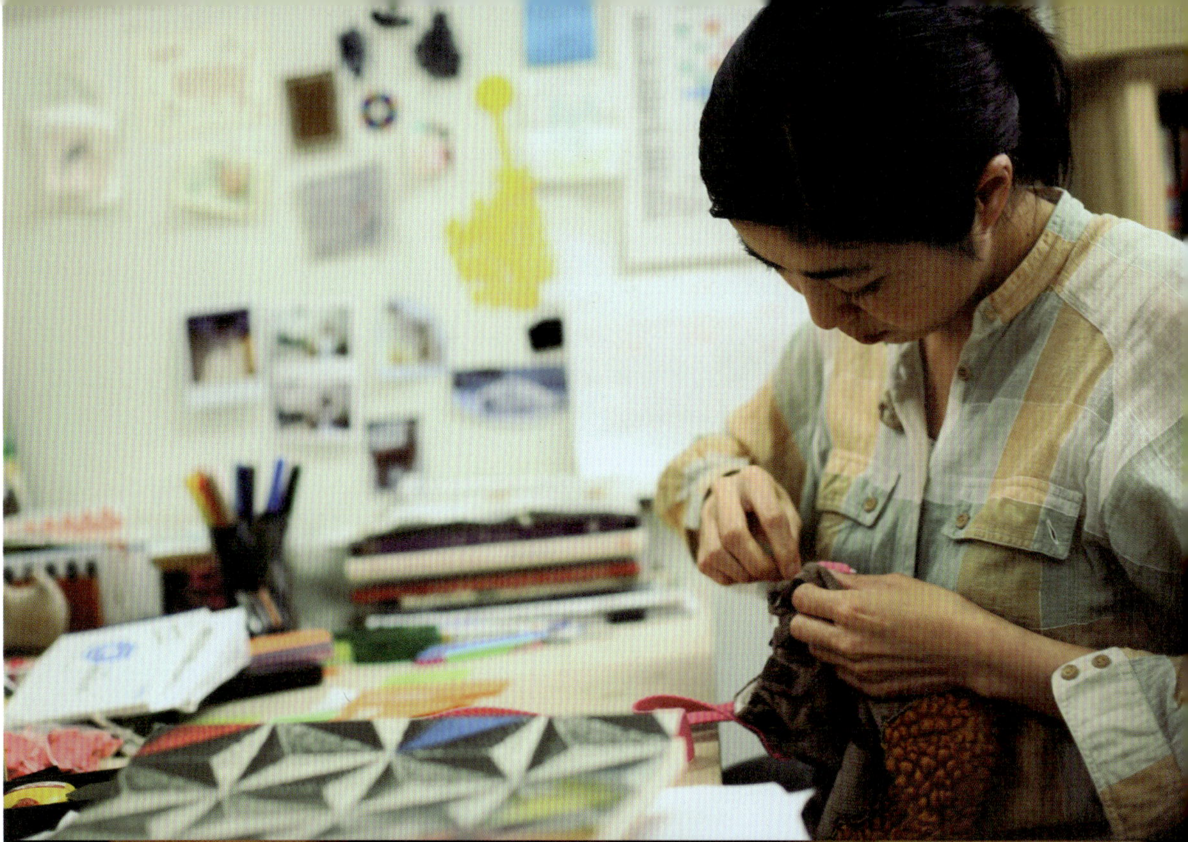

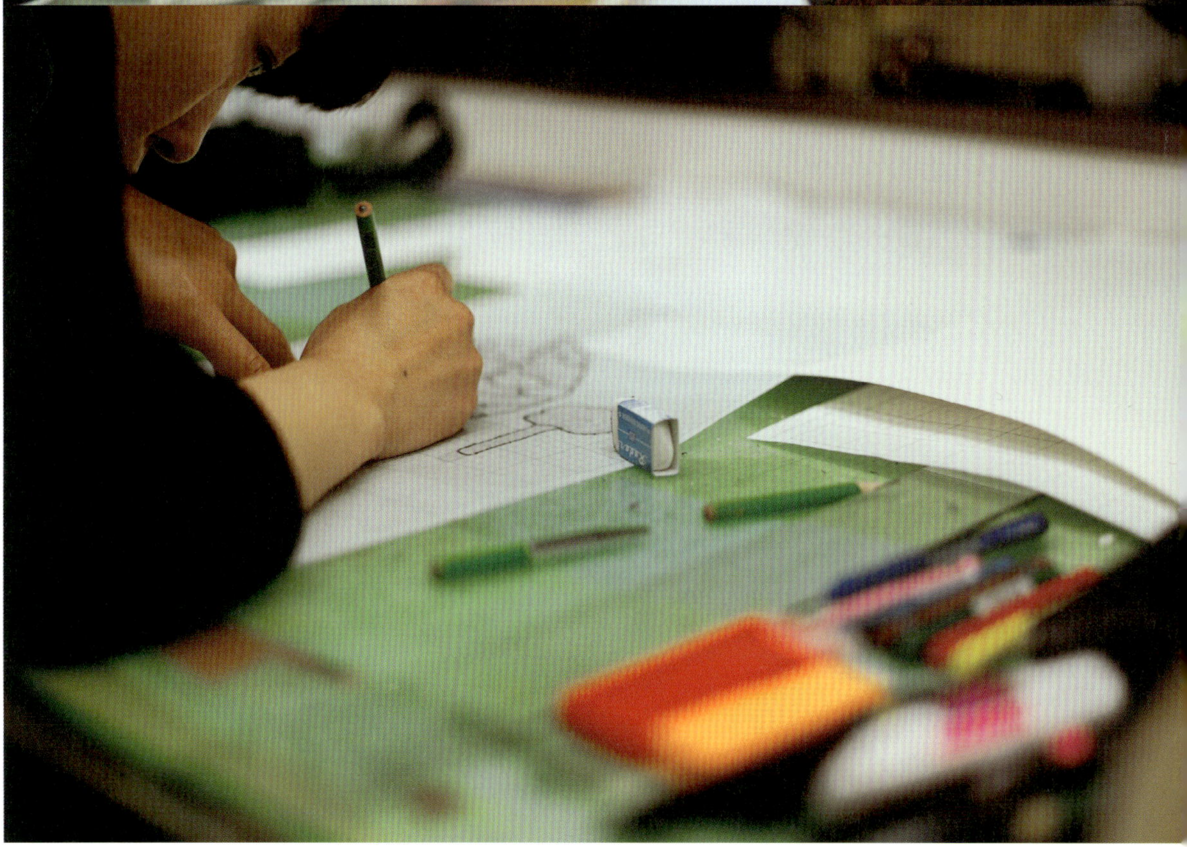

182

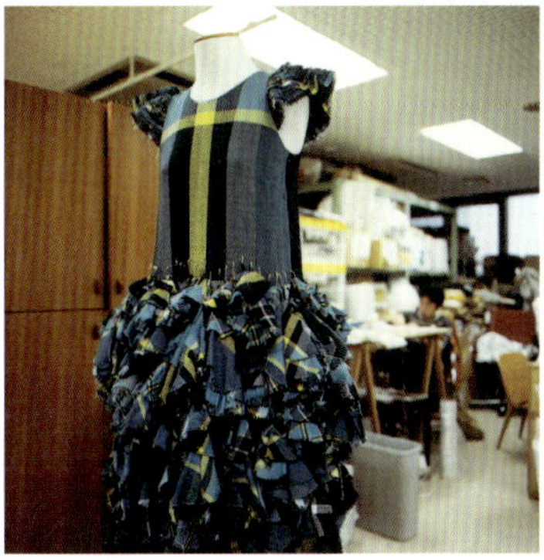

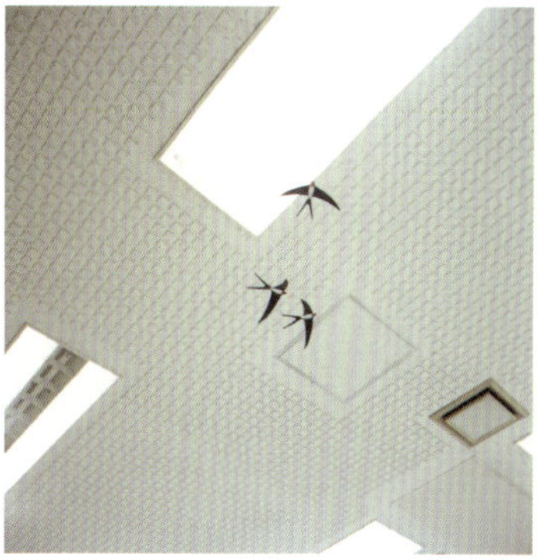

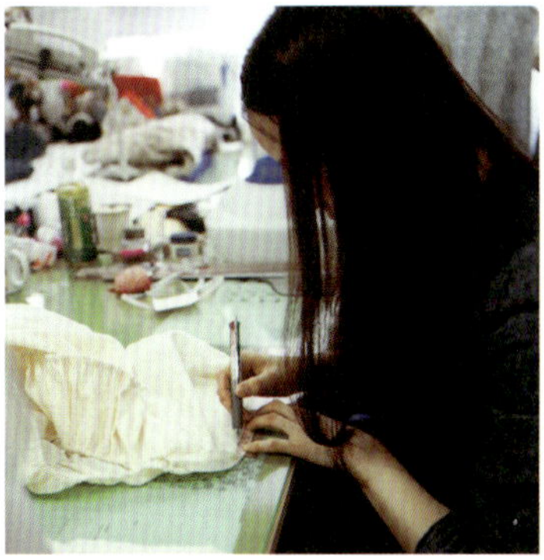

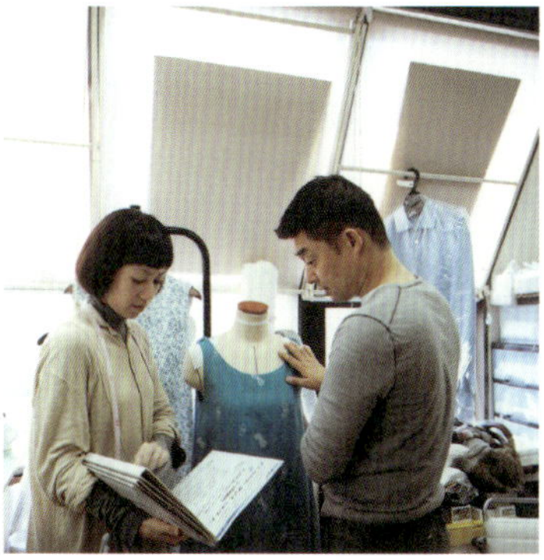

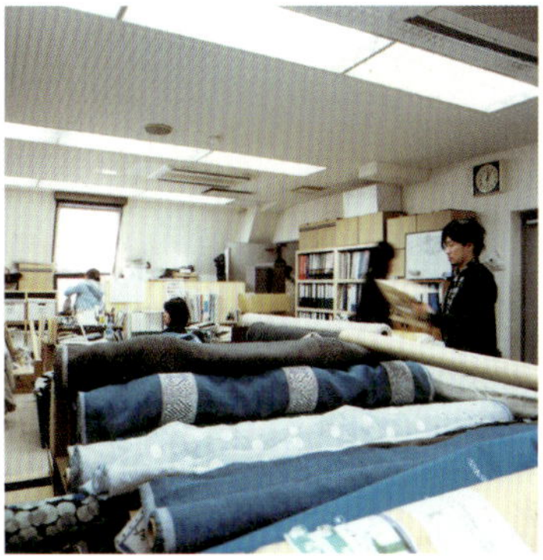

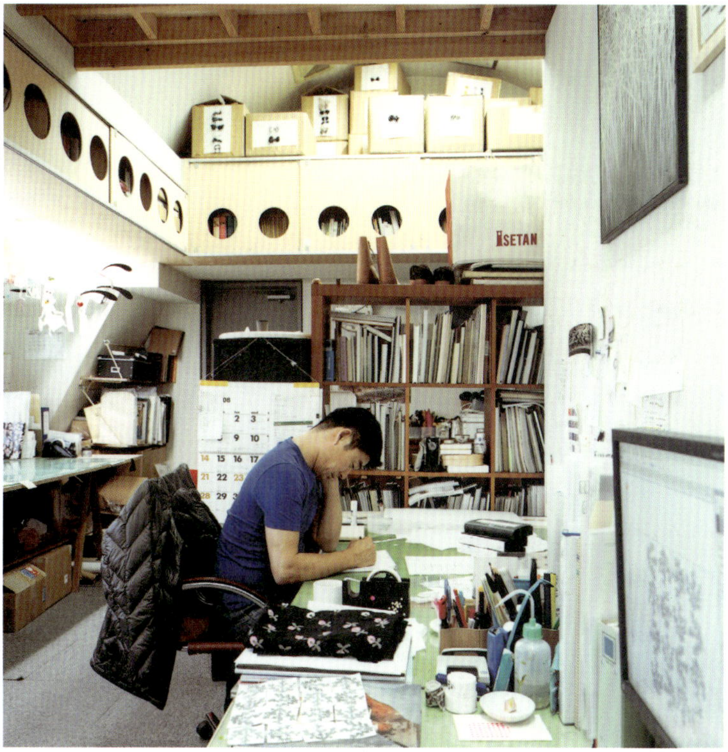
ISETAN

Akira・M

テキスタイル 1995–2010

hoshi*hana 1995 s/s	flower 1996 s/s	dia 1996-97 a/w	nami 1996-97 a/w	nanten 1996-97 a/w
tombow 1996-97 a/w	road 1997 s/s	flower garden 1997-98 a/w	noppara 1997-98 a/w	odango 1997-98 a/w
happa 1998 s/s	Helsinki 1998 s/s	Hopi-stripe 1998 s/s	random check 1998 s/s	usagi 1998 s/s
forest 1998-99 a/w	herringbone 1998-99 a/w	stripe 1998-99 a/w	yuki-to-hana 1998-99 a/w	forest 1999 s/s
rain 1999 s/s	shabondama 1999 s/s	shell 1999 s/s	topping 1999 s/s	wave 1999 s/s

wind 1999 s/s	 broad 1999-2000 a/w	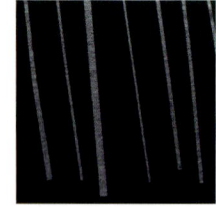 cellophane tape 1999-2000 a/w	 cup 1999-2000 a/w	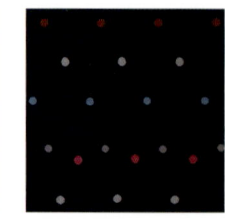 drops 1999-2000 a/w
 happa 1999-2000 a/w	 steam 1999-2000 a/w	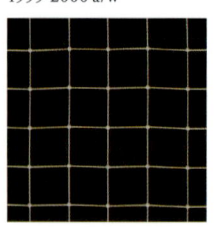 tile 1999-2000 a/w	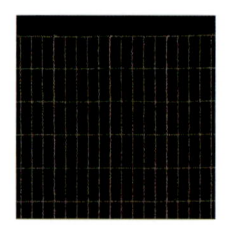 window 1999-2000 a/w	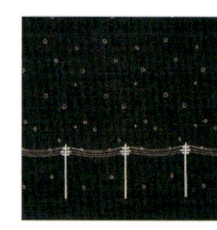 yuki-no-hi 1999-2000 a/w
 bird 2000 s/s	 bird bird 2000 s/s	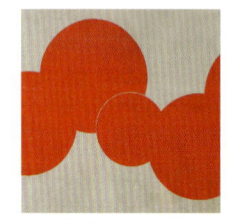 circle 2000 s/s	 mermaid 2000 s/s	 multistripe 2000 s/s
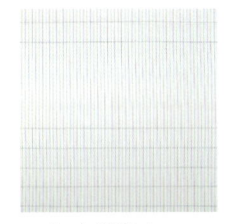 notebook 2000 s/s	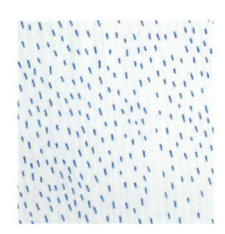 pen 2000 s/s	pico-pico 2000 s/s	 sunseed 2000 s/s	 barabara 2000-01 a/w
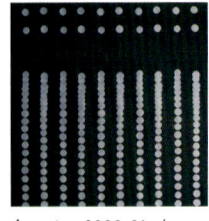 dotstripe 2000-01 a/w	 forest 2000-01 a/w	 fuwafuwa 2000-01 a/w	 herringbone 2000-01 a/w	 multistripe 2000-01 a/w
 tambourine 2000-01 a/w	 tori-to-hana 2000-01 a/w	 travel 2000-01 a/w	 twist 2000-01 a/w	 wafers 2000-01 a/w

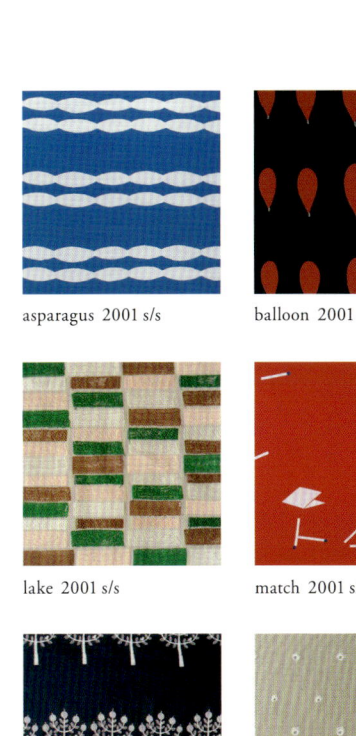

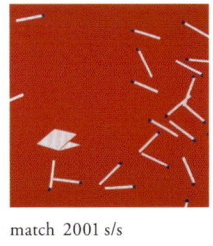

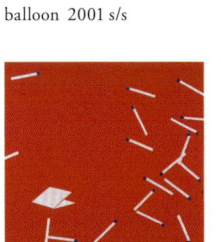

asparagus 2001 s/s	balloon 2001 s/s	 checker 2001 s/s	 choucho 2001 s/s	 flower box 2001 s/s
lake 2001 s/s	match 2001 s/s	mori-no-umi 2001 s/s	 multistripe 2001 s/s	 multistripe 2001 s/s
ringo 2001 s/s	 shell hole 2001 s/s	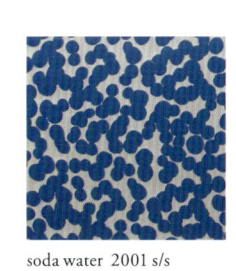 soda water 2001 s/s	 stripe 2001 s/s	 tanpopo 2001 s/s
 tile 2001 s/s	 angel 2001-02 a/w	 change（表）2001-02 a/w	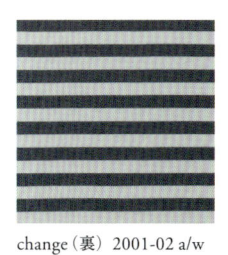 change（裏）2001-02 a/w	 chikyu 2001-02 a/w
 cloudy 2001-02 a/w	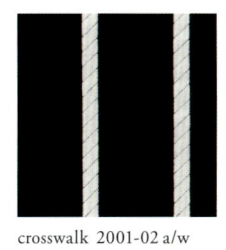 crosswalk 2001-02 a/w	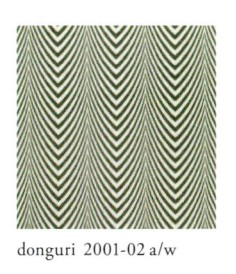 donguri 2001-02 a/w	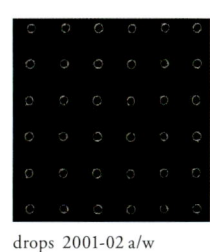 drops 2001-02 a/w	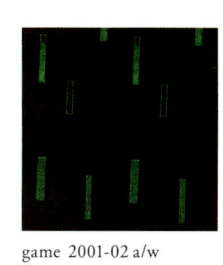 game 2001-02 a/w
 grassland 2001-02 a/w	 herringbone 2001-02 a/w	 honeycomb 2001-02 a/w	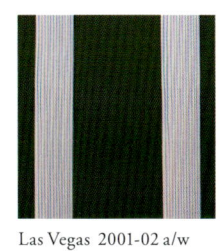 Las Vegas 2001-02 a/w	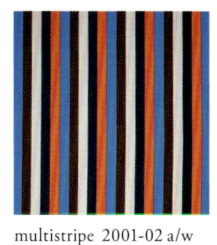 multistripe 2001-02 a/w

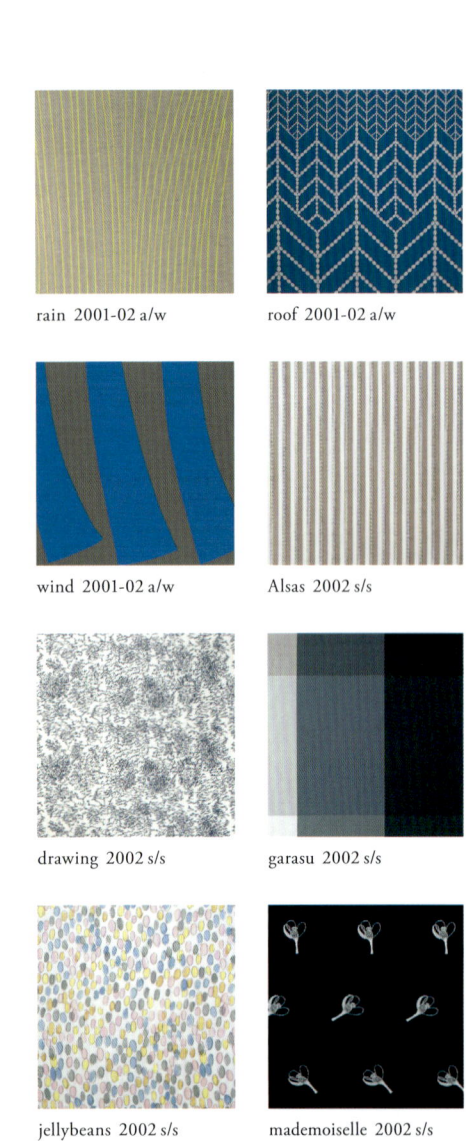

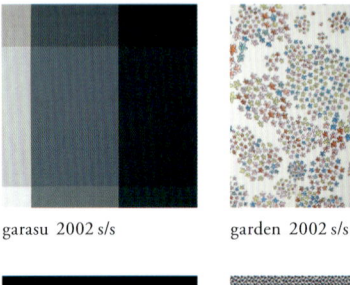

rain 2001-02 a/w	roof 2001-02 a/w	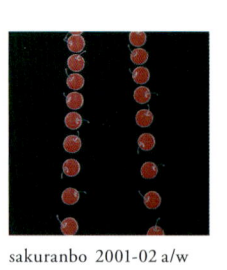 sakuranbo 2001-02 a/w	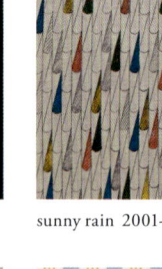 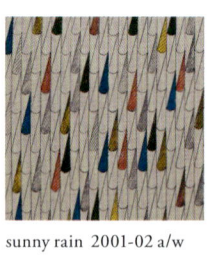 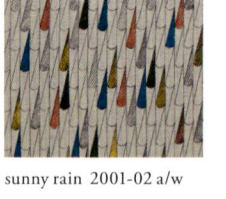 sunny rain 2001-02 a/w	 triangle 2001-02 a/w
wind 2001-02 a/w	Alsas 2002 s/s	 bii-dama 2002 s/s	 candy 2002 s/s	  classic 2002 s/s
drawing 2002 s/s	garasu 2002 s/s	garden 2002 s/s	 Harry 2002 s/s	 holiday 2002 s/s
jellybeans 2002 s/s	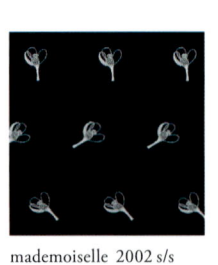 mademoiselle 2002 s/s	sesame 2002 s/s	 shower 2002 s/s	 suika 2002 s/s
 superball 2002 s/s	 Tama 2002 s/s	 tanpopo 2002 s/s	 wave 2002 s/s	  Alps 2002-03 a/w
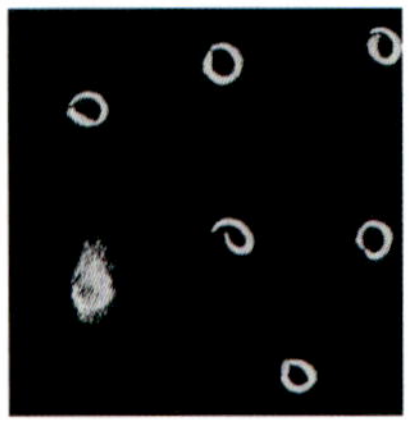 bambi 2002-03 a/w	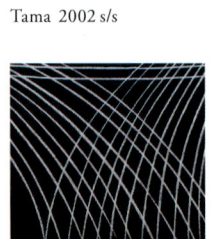 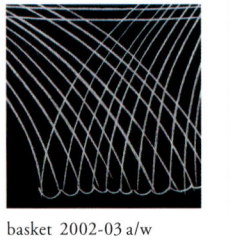 basket 2002-03 a/w	 billiards 2002-03 a/w	breeze 2002-03 a/w	check-check 2002-03 a/w

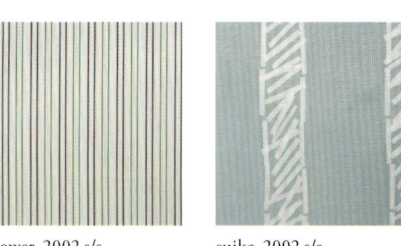

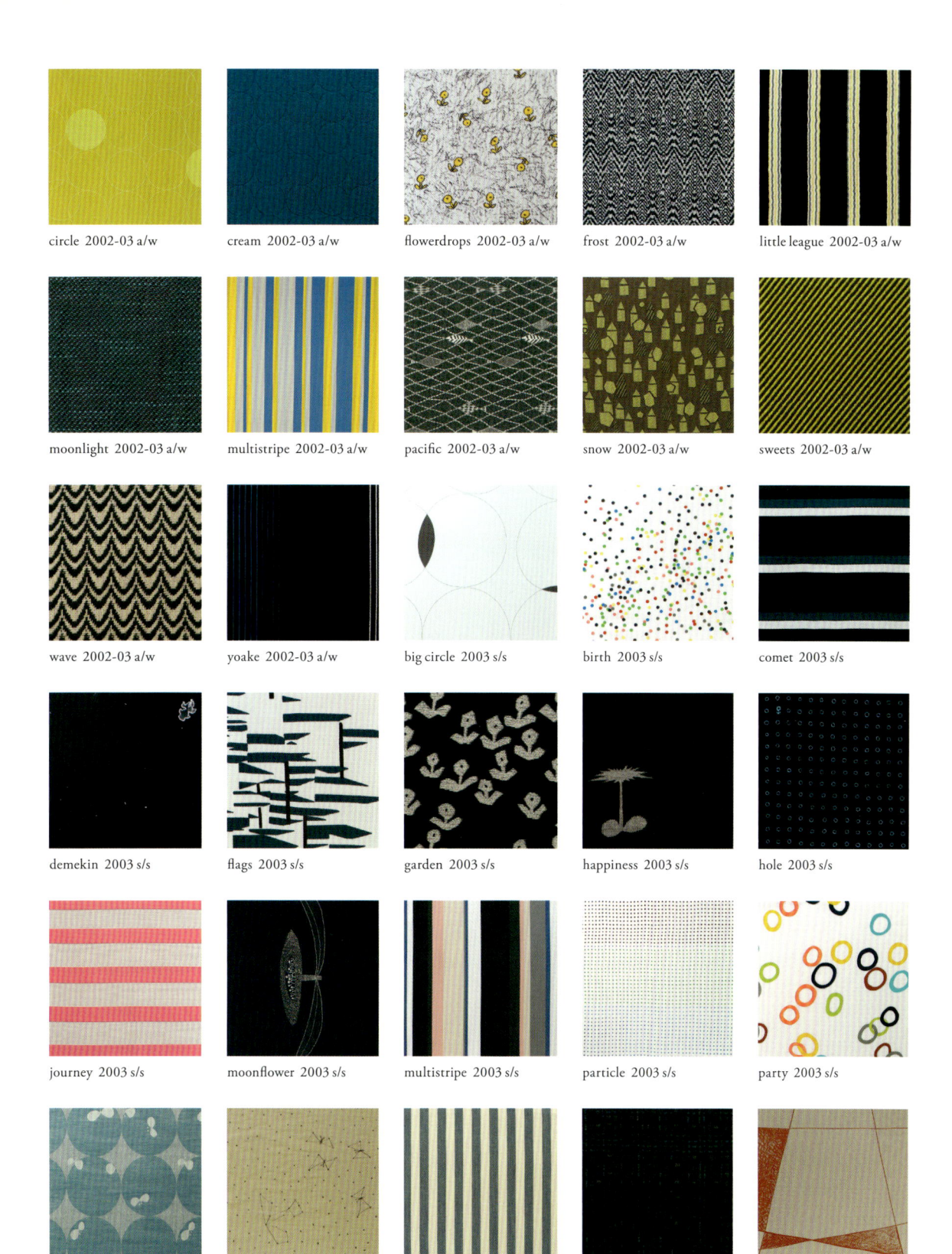

circle 2002-03 a/w	cream 2002-03 a/w	flowerdrops 2002-03 a/w	frost 2002-03 a/w	little league 2002-03 a/w
moonlight 2002-03 a/w	multistripe 2002-03 a/w	pacific 2002-03 a/w	snow 2002-03 a/w	sweets 2002-03 a/w
wave 2002-03 a/w	yoake 2002-03 a/w	big circle 2003 s/s	birth 2003 s/s	comet 2003 s/s
demekin 2003 s/s	flags 2003 s/s	garden 2003 s/s	happiness 2003 s/s	hole 2003 s/s
journey 2003 s/s	moonflower 2003 s/s	multistripe 2003 s/s	particle 2003 s/s	party 2003 s/s
perhonen 2003 s/s	planetarium 2003 s/s	provence 2003 s/s	ribbon 2003 s/s	steamcake 2003 s/s

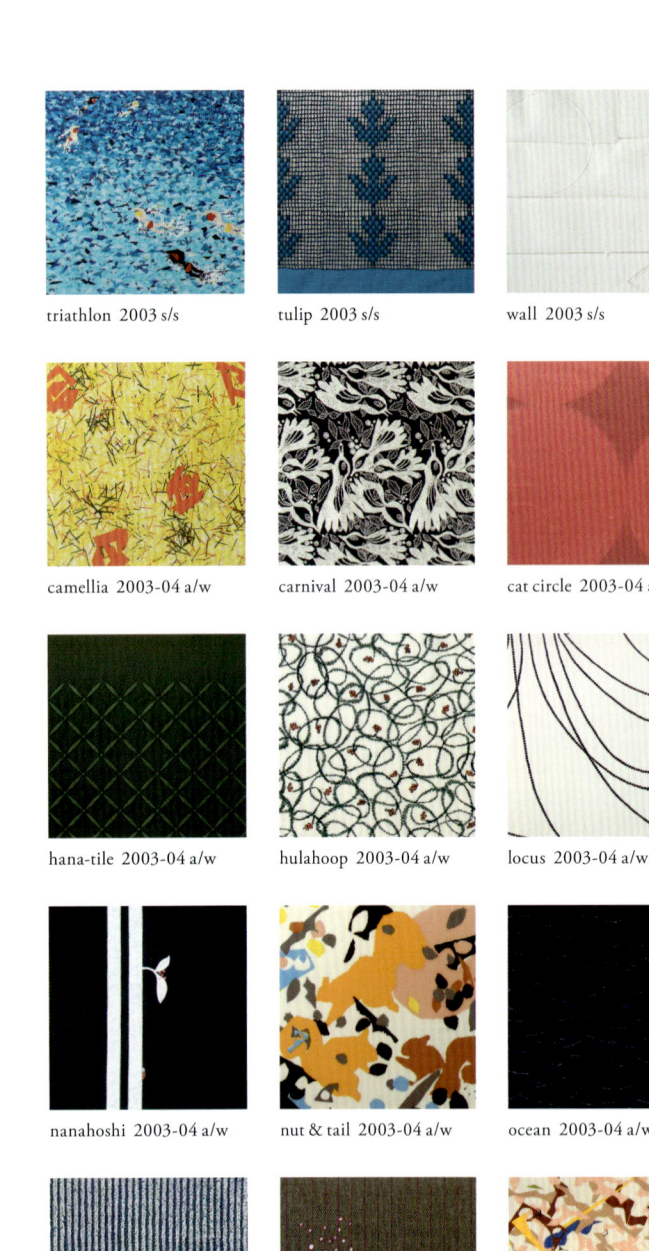

triathlon 2003 s/s	tulip 2003 s/s	wall 2003 s/s	zoo 2003 s/s	bubbllia 2003-04 a/w
camellia 2003-04 a/w	carnival 2003-04 a/w	cat circle 2003-04 a/w	diamond 2003-04 a/w	gelände 2003-04 a/w
hana-tile 2003-04 a/w	hulahoop 2003-04 a/w	locus 2003-04 a/w	minä perhonen tartan 2003-04 a/w	multistripe 2003-04 a/w
nanahoshi 2003-04 a/w	nut & tail 2003-04 a/w	ocean 2003-04 a/w	ornament 2003-04 a/w	poppy 2003-04 a/w
 river 2003-04 a/w	 stardust 2003-04 a/w	surplus 2003-04 a/w	tambourine grande 2003-04 a/w	twig 2003-04 a/w
 wataridori 2003-04 a/w	 boulanger 2004 s/s	 dragonfly 2004 s/s	 Fujisans 2004 s/s	 jungle gym 2004 s/s

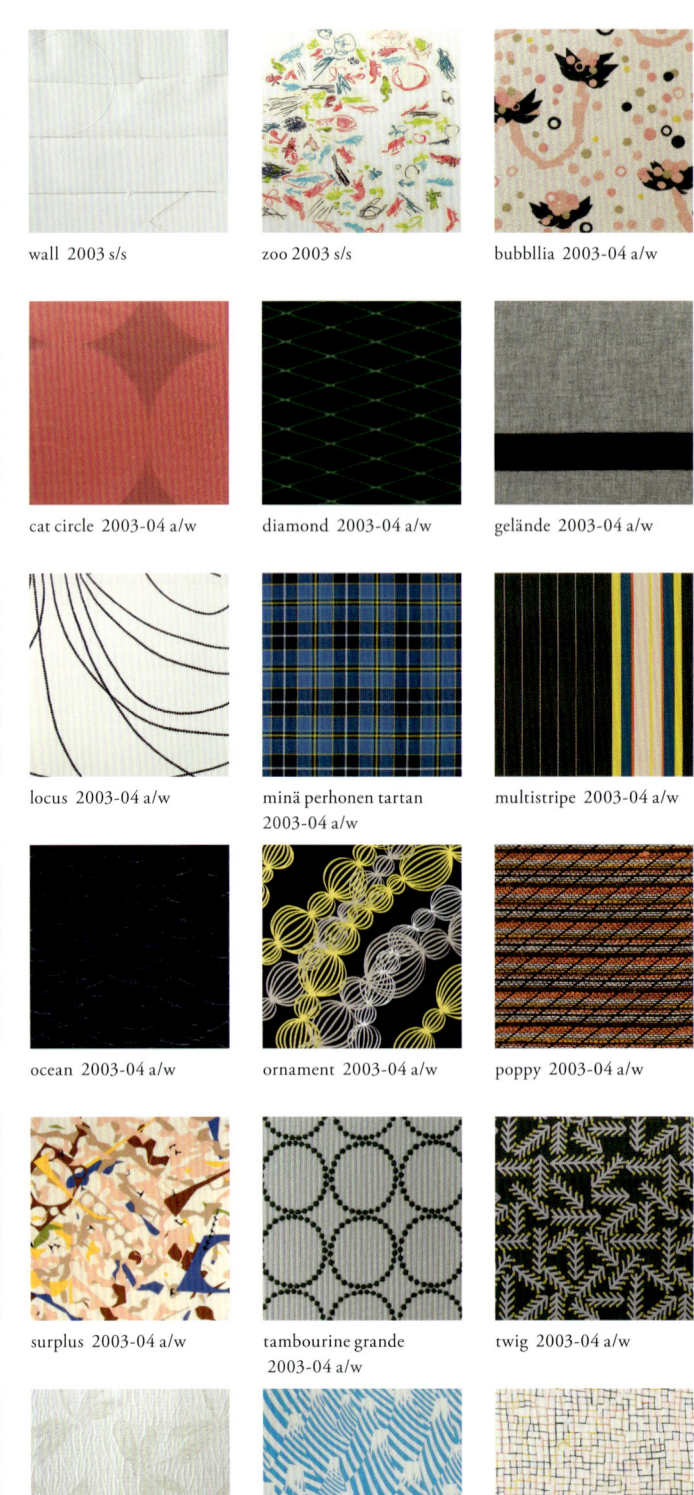

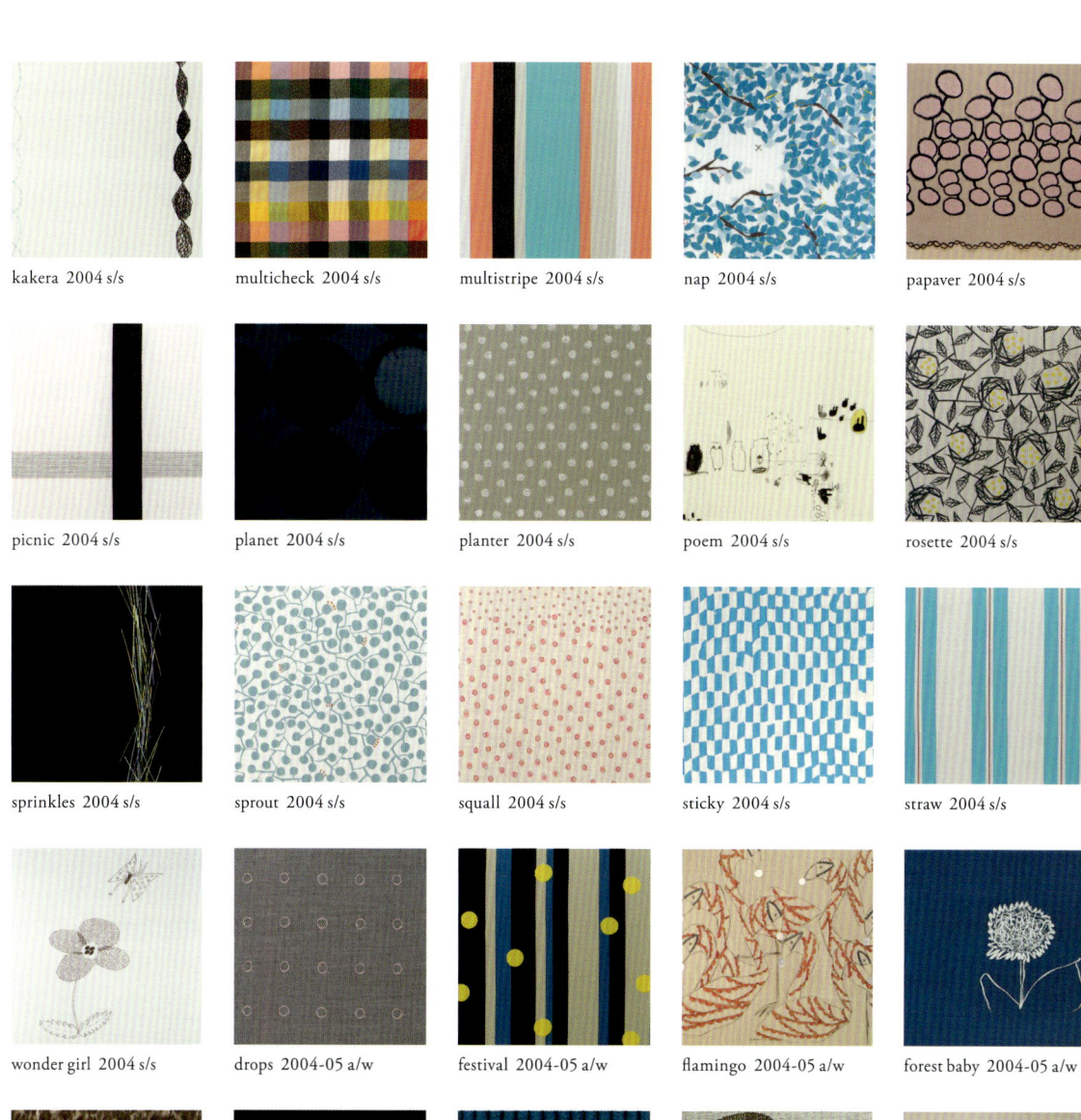

kakera 2004 s/s	multicheck 2004 s/s	multistripe 2004 s/s	nap 2004 s/s	papaver 2004 s/s
picnic 2004 s/s	planet 2004 s/s	planter 2004 s/s	poem 2004 s/s	rosette 2004 s/s
sprinkles 2004 s/s	sprout 2004 s/s	squall 2004 s/s	sticky 2004 s/s	straw 2004 s/s
wonder girl 2004 s/s	drops 2004-05 a/w	festival 2004-05 a/w	flamingo 2004-05 a/w	forest baby 2004-05 a/w
 forest gate 2004-05 a/w	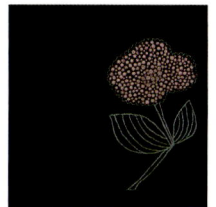 forest girl 2004-05 a/w	 grand corduroy 2004-05 a/w	  happa 2004-05 a/w	 happening 2004-05 a/w
 licorice 2004-05 a/w	 poem2 2004-05 a/w	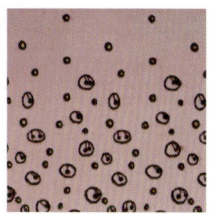 snowberry 2004-05 a/w	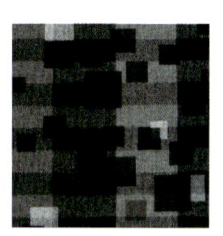 snow light 2004-05 a/w	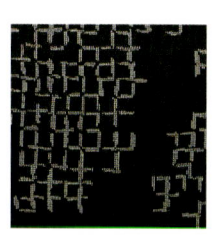 snowy 2004-05 a/w

sun bird 2004-05 a/w	 the earth 2004-05 a/w	 the earth 2004-05 a/w	 azure 2005 s/s	 Billy 2005 s/s
 bouquet 2005 s/s	 childhood 2005 s/s	 forest parade 2005 s/s	 forest parade 2005 s/s	 garden 2005 s/s
 hills 2005 s/s	 line 2005 s/s	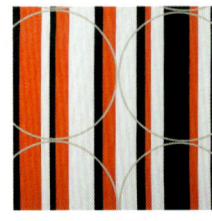 multistripe 2005 s/s	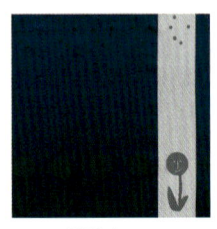 nicott 2005 s/s	 ocean 2005 s/s
 people 2005 s/s	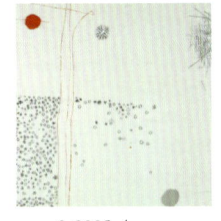 poem3 2005 s/s	 puu 2005 s/s	 puu 2005 s/s	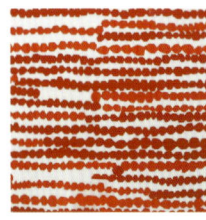 sea garden 2005 s/s
 seafowl 2005 s/s	 smile 2005 s/s	 water lily 2005 s/s	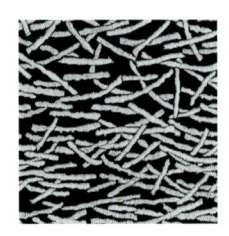 wave 2005 s/s	 wish 2005 s/s
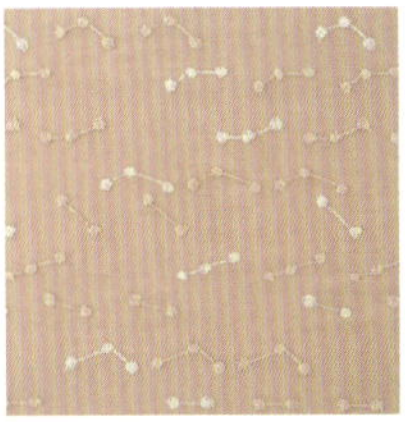 baby snow 2005-06 a/w	 chandelier 2005-06 a/w	 cloudy flower 2005-06 a/w	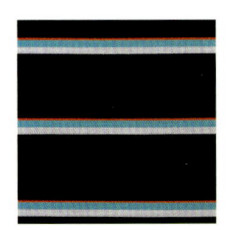 dolce 2005-06 a/w	 fence 2005-06 a/w

flower drops 2005-06 a/w	 fog 2005-06 a/w	 joy 2005-06 a/w	 mammoth 2005-06 a/w	 mica 2005-06 a/w
 milk tea 2005-06 a/w	 multicheck 2005-06 a/w	 noppara 2005-06 a/w	 octopus 2005-06 a/w	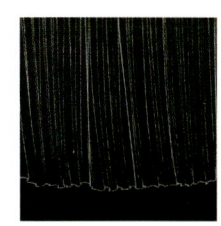 pleats 2005-06 a/w
 poem4 2005-06 a/w	quiet sun 2005-06 a/w	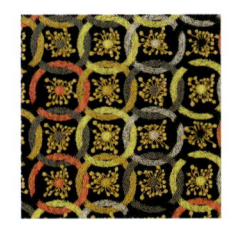 ring flower 2005-06 a/w	 snow cookie 2005-06 a/w	 splash 2005-06 a/w
 star line 2005-06 a/w	 sunny snow 2005-06 a/w	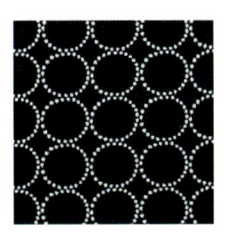 tambourine 2005-06 a/w	 trees 2005-06 a/w	 village 2005-06 a/w
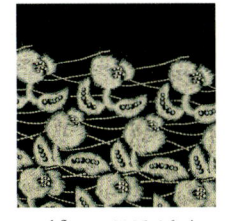 wind flower 2005-06 a/w	 beach 2006 s/s	 berry 2006 s/s	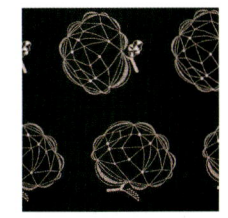 bloom 2006 s/s	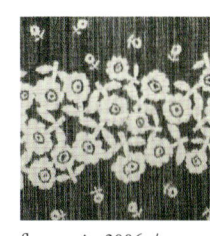 flower rain 2006 s/s
 frill 2006 s/s	 hana 2006 s/s	 ie 2006 s/s	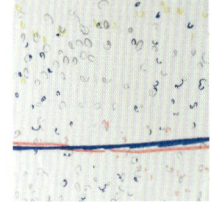 landscape 2006 s/s	 lunch 2006 s/s

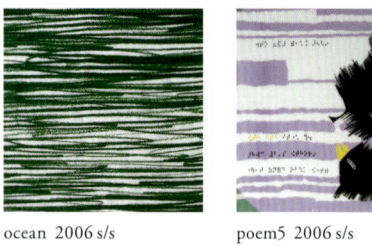

multistripe 2006 s/s	 neighborhood 2006 s/s	 oasis 2006 s/s	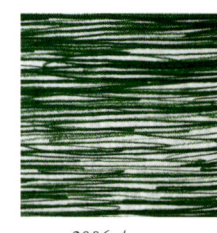  ocean 2006 s/s	 poem5 2006 s/s
 poem5 2006 s/s	 summer forest 2006 s/s	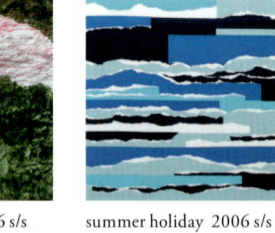  summer holiday 2006 s/s	 swallow 2006 s/s	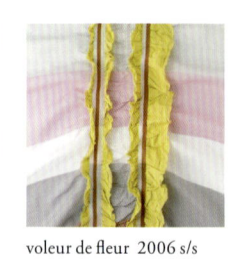 voleur de fleur 2006 s/s
 camellia 2006-07 a/w	 cascade 2006-07 a/w	 disco 2006-07 a/w	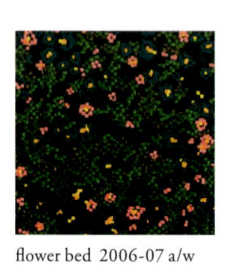 flower bed 2006-07 a/w	 foot path 2006-07 a/w
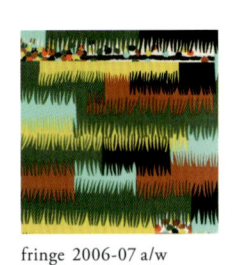 fringe 2006-07 a/w	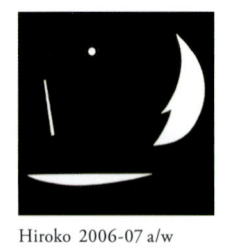 Hiroko 2006-07 a/w	 little wind 2006-07 a/w	 mariposa 2006-07 a/w	 parrot 2006-07 a/w
 poem6 2006-07 a/w	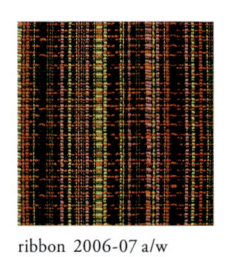 ribbon 2006-07 a/w	 ring 2006-07 a/w	 ripples 2006-07 a/w	 sunny snow 2006-07 a/w
 sunny spots 2006-07 a/w	 swan 2006-07 a/w	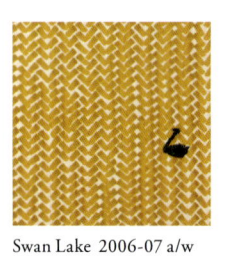 Swan Lake 2006-07 a/w	twinkle 2006-07 a/w	 basket 2007 s/s

cloud 2007 s/s	 cookie 2007 s/s	 crystal 2007 s/s	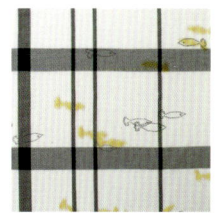 day trip 2007 s/s	 necco 2007 s/s
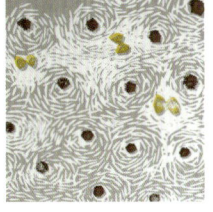 papillon 2007 s/s	 petal 2007 s/s	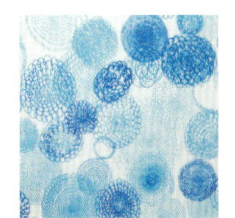 rain chukka 2007 s/s	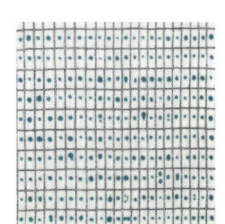 rain sample 2007 s/s	 rainbow 2007 s/s
 still 2007 s/s	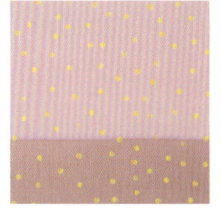 sunny ball 2007 s/s	 the Lethe 2007 s/s	 tip flower 2007 s/s	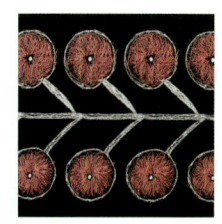 twins 2007 s/s
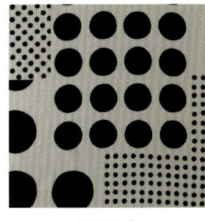 universe 2007 s/s	 vapor 2007 s/s	 abeille 2007-08 a/w	 aroma 2007-08 a/w	 ballade 2007-08 a/w
 ceremony 2007-08 a/w	 crayonniste 2007-08 a/w	 daisy 2007-08 a/w	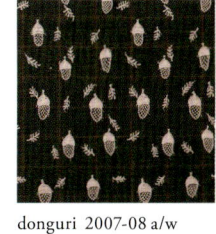 donguri 2007-08 a/w	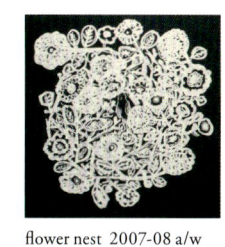 flower nest 2007-08 a/w
 fogland 2007-08 a/w	 goutte 2007-08 a/w	 hair 2007-08 a/w	le vent d'or 2007-08 a/w	 moss rose 2007-08 a/w

nomade 2007-08 a/w	odyssey 2007-08 a/w	pavé 2007-08 a/w	pray 2007-08 a/w	tarte 2007-08 a/w
wind mill 2007-08 a/w	dim night 2008 s/s	flower curtain 2008 s/s	foaming 2008 s/s	forest angel 2008 s/s
forest wing 2008 s/s	full moon 2008 s/s	hanaco 2008 s/s	happy camouflage 2008 s/s	jag 2008 s/s
kakurenbo 2008 s/s	lash 2008 s/s	little girl 2008 s/s	mingle 2008 s/s	mirage 2008 s/s
mist diamond 2008 s/s	onion 2008 s/s	orbit 2008 s/s	shower 2008 s/s	so-gen 2008 s/s
sun moss 2008 s/s	usagi 2008 s/s	crocodile 2008-09 a/w	frost 2008-09 a/w	garland 2008-09 a/w

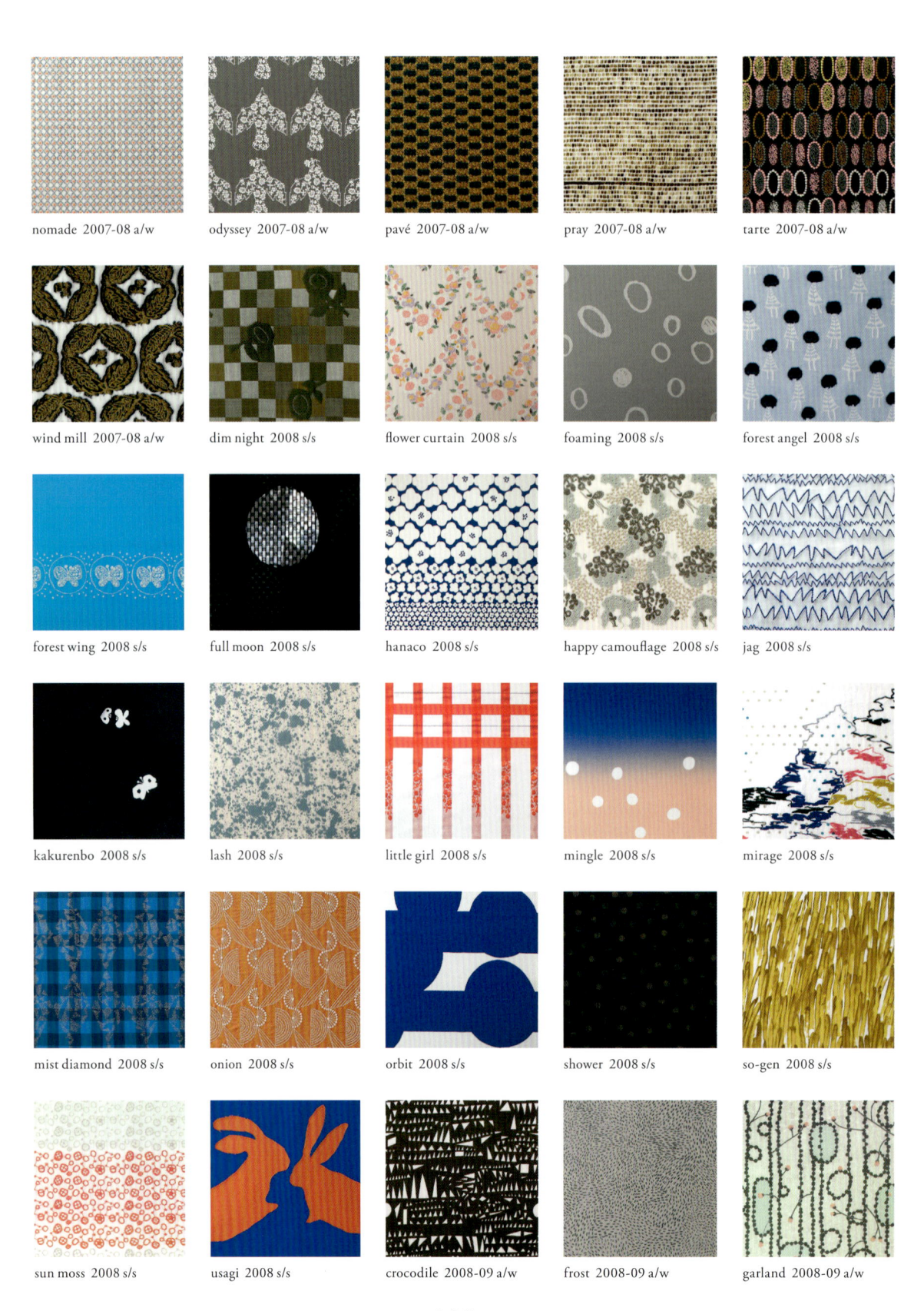

giggle 2008-09 a/w	 jungle relief 2008-09 a/w	 la fille 2008-09 a/w	 lyric 2008-09 a/w	 meteor 2008-09 a/w
 moon bear 2008-09 a/w	 Mr. Perry 2008-09 a/w	 paradise 2008-09 a/w	 plume 2008-09 a/w	 ridge 2008-09 a/w
 shadow snow 2008-09 a/w	 sprint 2008-09 a/w	star 2008-09 a/w	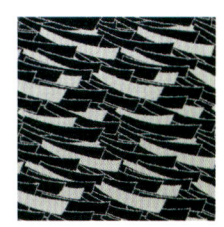 stream 2008-09 a/w	 tefu tefu 2008-09 a/w
 tremor 2008-09 a/w	 trickle 2008-09 a/w	whisper 2008-09 a/w	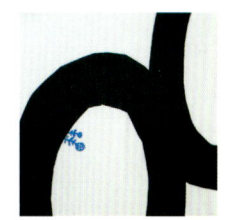 bouncy 2009 s/s	 cats & dogs 2009 s/s
 cielo 2009 s/s	 croon 2009 s/s	 dim 2009 s/s	 floccus 2009 s/s	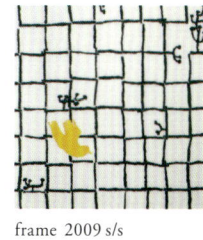 frame 2009 s/s
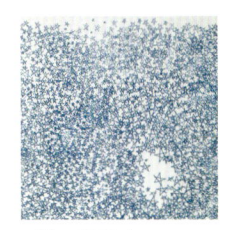 galileo 2009 s/s	halo 2009 s/s	 hiko-ki 2009 s/s	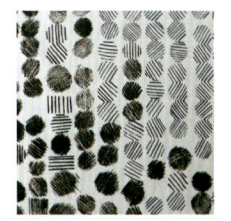 little planet 2009 s/s	 luna 2009 s/s

Mrs. Cloud 2009 s/s	 obscure 2009 s/s	  puff 2009 s/s	  puzzle 2009 s/s	 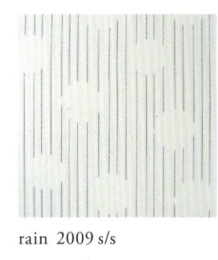 rain 2009 s/s
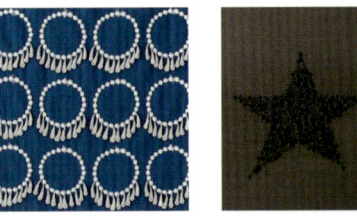 raindrops 2009 s/s	stella 2009 s/s	 twilight 2009 s/s	twitter 2009 s/s	10000 feet 2009 s/s
 bloom 2009-10 a/w	  elephant 2009-10 a/w	field lane 2009-10 a/w	 fir tree 2009-10 a/w	flower, bird, me 2009-10 a/w
 frosty 2009-10 a/w	  gem 2009-10 a/w	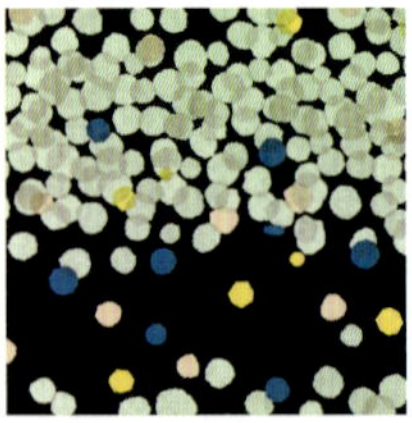 glimmer 2009-10 a/w	 home circle 2009-10 a/w	Lili 2009-10 a/w
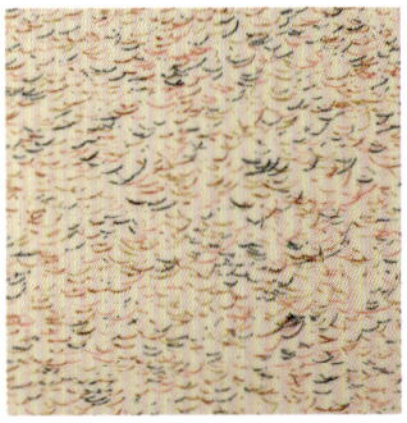 lull 2009-10 a/w	 Lulu 2009-10 a/w	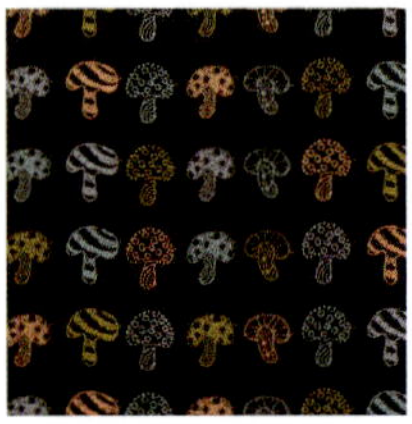 polka 2009-10 a/w	 shelly 2009-10 a/w	 sierra 2009-10 a/w
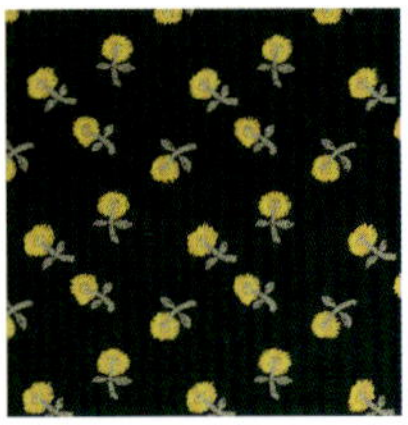 skip 2009-10 a/w	  woolly ball 2009-10 a/w	ash 2010 s/s	before 2010 s/s	chorus 2010 s/s

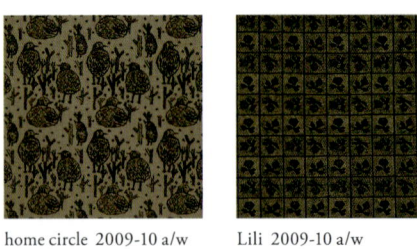

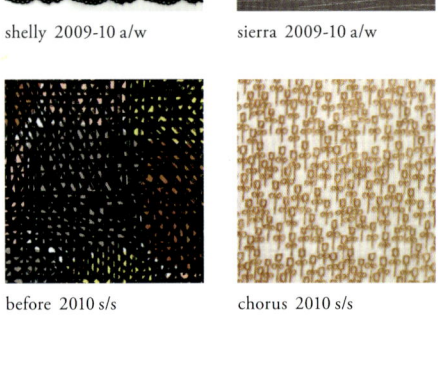

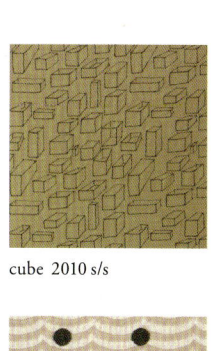

cube 2010 s/s	 day break 2010 s/s	 dear 2010 s/s	 dress0 2010 s/s	 en route 2010 s/s
 lambent 2010 s/s	 morning 2010 s/s	 pas a pas 2010 s/s	 pop corn 2010 s/s	 spray 2010 s/s
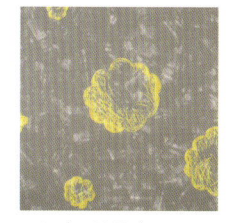 springlet 2010 s/s	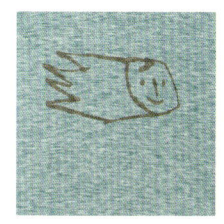 starman 2010 s/s	 tour 2010 s/s	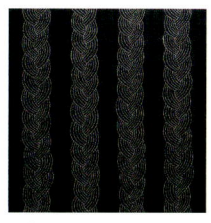 trill 2010 s/s	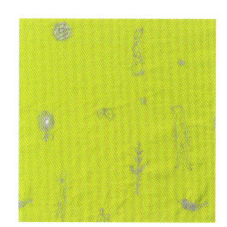 wander 2010 s/s
 celebrate 2010-11 a/w	 charades 2010-11 a/w	 chum 2010-11 a/w	cognac 2010-11 a/w	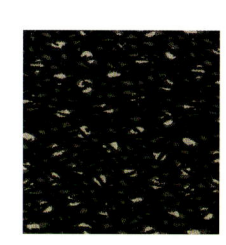 coppice 2010-11 a/w
 dance 2010-11 a/w	dusk 2010-11 a/w	 hello! 2010-11 a/w	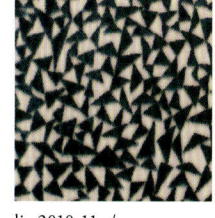 lit 2010-11 a/w	 luster 2010-11 a/w
 mongolia 2010-11 a/w	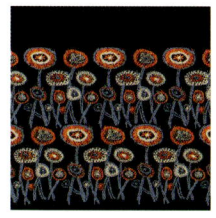 path 2010-11 a/w	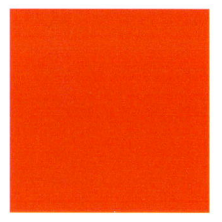 pianissimo 2010-11 a/w	 puffin' 2010-11 a/w	 scent 2010-11 a/w

shift 2010-11 a/w

sleeping rose 2010-11 a/w

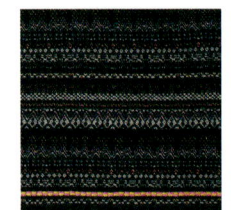

slow 2010-11 a/w

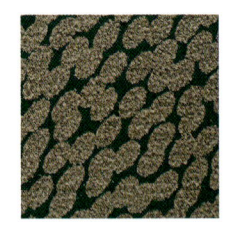

snow light 2010-11 a/w

sonata 2010-11 a/w

turn around 2010-11 a/w

unforgettable moment for Liberty Art Fabrics 2010-11 a/w

waffle 2010-11 a/w

ミナ ペルホネン年表

1995 → デザイナー皆川明によりブランド「minä（ミナ）」が設立される。「minä」はデザイナーが好んで旅したフィンランドの言葉で「私」を意味する。私が私らしくなれる服をつくりたい、という願いから。
　　　アトリエは東京・八王子。

1996 →「mini bag（ミニバッグ）」誕生。

1997 → 皆川がminäと並行して行っていた魚市場でのアルバイトを辞め、服づくりに専念。
　　　→「egg bag（エッグバッグ）」誕生。

1999 → アトリエを阿佐ヶ谷に移す。
　　　→ オリジナルデザインの椅子「giraffe chair（ジラフチェア）」を発表。

2000 → アトリエを白金台に移し、初の直営店を東京・白金台にオープン。
　　　→「tori bag（トリバッグ）」誕生。

2001 → メンズラインをスタート。
　　　→ グループ展「CONTINUOUS CONNECTION Part-1（国際デザインコンテスト第4回デザイン21）」（フェリシモデザインハウス、ニューヨーク）に出展。

2002 → バックナンバーの復刻スタート。
　　　→ 米国ブーツメーカー「STALLION（スタリオン）」とのコラボレーションによりウエスタンブーツを発売。
　　　→ 展覧会「粒子 — Exhibition of minä's works」（スパイラルガーデン、東京）

2003 → ブランド名を「minä perhonen（ミナ ペルホネン）」と改める。
　　　→ ロンドンファッションウィークに参加。
　　　→ オリジナルデザインの家具「puu（プウ＝フィンランド語で「森」の意）」を発表（製作：日進木工）。
　　　→ デンマークの家具メーカー「Fritz Hansen（フリッツ・ハンセン）」のエッグチェア、スワンチェア、セブンチェアをミナ ペルホネンの布張りで発表。
　　　→ 英国スコットランド タータン オーソリティにミナ ペルホネンのテキスタイルが登録される。
　　　→ スタイリスト・大森伃佑子さんディレクションによる着物のブランド「装プラス」（撫松庵）とミナ ペルホネンのコラボレーションを発表（～2006年まで）。
　　　→ グループ展「ROPPONGI CROSSING（六本木クロッシング）」（森美術館、東京）に出展。
　　　→ 個展「ミナのテキスタイルワールド」（文化服装学院内リソースセンター、東京）
　　　→ 書籍『皆川明の旅のかけら』（皆川 明 著／文化出版局）刊。
　　　→ 書籍『粒子 — particle of minä perhonen』（粒子展実行委員会 著／ブルースインターアクションズ）刊。
　　　→ 書籍『ミナを着て旅に出よう』（皆川 明 著、松浦弥太郎 監修／ダイエックス出版）刊。

2004 → 日本に加えてパリでも新作発表を始める。
　　　→ オリジナルデザインの椅子「perhonen chair（ペルホネンチェア）」（製作：天童木工）を発表。
　　　→ 個展「imperfect（インパーフェクト）」（名古屋芸術大学アート＆デザインセンター、愛知）
　　　→ ダンス公演「wonder girl（ワンダーガール）」（スパイラルホール、東京）皆川明が衣装を担当、空間構成と演出に参加。

2005 → パリでショウ形式でのプレゼンテーションを始める。
　　　→ 子供服ラインをスタート。
　　　→ ダンサー安藤洋子さんによる「Ando Yoko Project, feel & connect（フィールアンドコネクト）」の衣装を担当。
　　　→ 日本ファッション・ウィーク「CREATION BUISINESS FORUM」にて「1時間の家」を展示。
　　　→ 個展「オモテウモ」（宇都宮美術館プロムナードギャラリー、栃木）。
　　　→ グループ展「TAKEO PAPER SHOW2005」（スパイラルガーデン、東京）に出展。
　　　→ 書籍『minä perhonen1 textile』『minä perhonen2 embroidery』『minä perhonen3 print』（すべて文化出版局）刊。

2006 → デザイナー皆川明が「毎日ファッション大賞」（毎日新聞社主催）大賞受賞。
　　　→ デンマークのテキスタイルメーカー「kvadrat（クヴァドラ）」より皆川明デザインの生地発表。
　　　→ オリジナルファブリックの販売をスタート。
　　　→ 個展「派生するデザイン」（大阪成蹊大学ギャラリーB、京都）
　　　→ ダンス公演「moiré（モアレ）」（スパイラルホール、東京）の衣装とビジュアルコンセプトを皆川明が担当。

→ ダンサー安藤洋子さんによる「Ando Yoko Project, feel & connect」の衣装を担当。

2007 → 京都に2店舗目の直営店オープン。
→ シーズンブック『紋黄蝶』の制作・販売を始める。
→ 地中美術館のミュージアムショップで、大竹伸朗さんとミナ ペルホネンのコラボレーションによるTシャツが発売される。
→ グループ展「Chocolate（チョコレート）」「THIS PLAY！（ディスプレイ！）」（ともに21_21 DESIGN SIGHT、東京）に出展。

2008 → ホームランドリーで洗濯できるライン「minä perhonen Laundry（ミナ ペルホネン ランドリー）」スタート。
→ オリジナルのうつわコレクションをスタート。
→ 個展「TODAY'S ARCHIVES（トゥデイズアーカイブス）」（国立新美術館 SFTギャラリー、東京／オリエンタルホテル広島、オリエンタルギャラリー、広島）

2009 → 京都に3店舗目の直営店「minä perhonen arkistot（ミナ ペルホネン アルキストット）」オープン。
→ 青森県立美術館のユニフォームデザインを手がける。
→ 英国のテキスタイルメーカー「LIBERTY（リバティ）」2010秋冬コレクションにて皆川 明のデザインを発表。
→ オランダの傘ブランド「SENZ Umbrellas（センズ アンブレラズ）」とのコラボレートにより、ミナ ペルホネン デザインの傘が発売される。
→ オリジナルの家具「perhonen shelf（ペルホネンシェルフ）」「bagel stool（ベーグルスツール）」を発表・発売（製作：イノウエインダストリィズ、ペルホネンシェルフの設計：トラフ建築設計事務所）。
→ グループ展「Second Nature」（Rundetaarn ラウンドタワー、デンマーク）に参加。
→ 個展「minä perhonen — fashion & design」（Audax Textielmuseum Tilburg アウダクス テキスタイルミュージアム ティルブルグ、オランダ）

2010 → 京都に4店舗目の直営店「minä perhonen piece,（ミナ ペルホネン ピース,）」オープン。続けて東京にも「arkistot」「piece,」をオープン。
→ 個展「ミナ ペルホネン The future from the past 未来は過去から」（金沢21世紀美術館 デザインギャラリー、石川）
→ 個展 ミナ ペルホネン展覧会「進行中」（スパイラルガーデン、東京）

ミナ ペルホネン?

この本のタイトルはミナ ペルホネンのデザインがどのような思いでつくられてきたか、そしてファッションというものの領域から出発することを選んで進んできた私達が服やその他のデザインの今後についてどのように向き合っていくのかを確認し皆様にご紹介すると同時に自問自答するという［?］の二面性を持った本となりました。

私は、人がなぜ服というものを必要としたのか? そして服は私達の生活の中でどのようなものであって欲しいのか? をつくる時の不変的な問いとして持ち、それへの想像の中で服と向き合ってきました。

私にとって服や形をつくるということは詩を書くようであると感じています。

それは日々の言葉や体験の領域と空想の領域の接点と言えるでしょう。それは「ないけれどもある。」という世界を形の中に込めることでした。そしてそれは「あったけれど見えなかったもの」への好奇心でもありました。そのような経験は未来に続く道をどんどん無限のもののように感じさせてくれ、同時に自分ひとりの持ち時間がその道の中にあるわずかなものだと気づかせてくれます。15年という5000日余りの繰り返しは私やミナ ペルホネンに様々な経験の種や実を与えてくれました。それをまたこれから土に植え、育てるようにものづくりをしていくのだと思います。

経験の種や実を豊かな大地のような生活の上に蒔き、またそこに空想の水を与え新しい芽を育ててみたいと思います。

ひとりで始めた小さな営みは少しずつ広がり多くの方の御支援と集まってくれた共感する仲間によって今日まで続いています。

この素晴らしい出会いはミナ ペルホネンの宝物です。

この大切な宝物から生れる輝きを私達のつくりだす物の中にも、つくりだす時の中にも、つくりだす人の中にもずっと込めていきたいと思います。

そしてこの思いをずっと先の道までリレーしていきたいのです。
何もわからず始めた歩みにこのような希望を持てるきっかけをくださり今まで支えていただいた皆様、これからも見守ってくださる皆様に深く心より感謝申し上げます。

皆川 明

ミナ ペルホネン

皆川 明

長江 青（デザイナー・プレス）

皆川菜穂

石澤敬子（白金台店 店長）

白藤有香（企画・デザイナー）

南部史子（白金台店）

田中景子（テキスタイルデザイナー）

水落裕章（企画・デザイナー）

横尾彩子（生産管理）

新田華子（プレス）

東藤久美子（企画）

田中喜子（生地企画・管理）

藤川尚子（海外業務）

松崎由貴子（白金台店）

北村七海（京都店 店長）

滝沢 緑（白金台店）

徳田知世（京都店 店長）

今村浩章（白金台店）

伊禮冴美（海外業務）

森 祐子（プレス）

川島理絵（紋黄蝶）

古田さやか（販売管理）

佐藤晴美（パタンナー）

中田明紀（パタンナー）

佐藤有紀子（パタンナー）

地崎佑子（パタンナー）

岸本奈緒（piece, tokyo 店長）

鈴木あすみ（販売管理）

足立千春（京都店）

山本真知子（生産管理）

岩田由紀（京都店）

太田奈津子

島 雅美（経理）

大宅由佳理（子供服パタンナー）

久木麻亜矢（京都店）

小田友子（piece, kyoto）

朝加広野（piece, kyoto）

近藤靖代（piece, tokyo）

笹原利恵

杉本三佳

佐藤愛美

大谷奈美（白金台店）

南 和子（白金台店）

常本若菜（京都店）

森 貴実子（白金台店）

清水美帆（piece, tokyo）

池島嘉代（生地企画）

青山佳世

大森 梓

2010年12月現在

撮影クレジット

十文字美信
P.5, 7, 9

森本美絵
P.13, 170-171, 182-183

sono(bean)
P.14-15, 21, 24-25, 28-29, 31, 34, 37-39, 46, 69-71, 84, 87, 92, 99(上), 120-121, 124-125, 127, 133, 150-151, 157, 159-161, 166-167, 177-179

秋山由樹
P.22-23(下), 30, 111(下), 117(下), 154-155, 181(上)

小林秀銀
P.23(上), 47, 49-51, 54(上), 55, 60-63, 65, 67-68, 85, 103, 116, 129, 132, 153, 172, 175(下), 181(下)

小泉佳春
P.27

木寺紀雄
P.33, 98-99(下)

長島有里枝
P.41-43, 45, 95, 100, 119, 143, 149, 163
(HM: 樅山敦, M: IFEY)

伊東俊介
P.53-54(下), 146, 173-174

野川かさね
P.59

竹原麻希子
P.72-74, 83, 118, 145

金 玖美
P.75(上)

colganphotography.com
P.75(下)

ユイキヨミ
P.77, 169

鈴木 心
P.78-79

藤田一浩
P.80(下)

菊地敦己
P.88-89

柴田和彦
P.111(上)

新津保建秀
P.113

泊 昭雄
P.115, 165, 168

戎 康友
P.117(上)

皆川 明
P.137-139

R. Benegas
P.141

小野美月
P.158

梶野彰一
P.175(上)

写真提供

アクタス
P.35, 112

ポルシェ ジャパン株式会社
P.57

宇都宮美術館
P.80-81(上)

金沢21世紀美術館
P.81(下)

ミナ ペルホネン？ ［通常版］

2011年4月1日　初版第1刷発行
2017年12月12日　初版第6刷発行

著者：ミナ ペルホネン

アートディレクション・デザイン：菊地敦己（ブルーマーク）

編集：鈴木まきえ、森 祐子（ミナ ペルホネン）、菊地敦己
デザイン：北原美菜子（ブルーマーク）
印刷・製本：株式会社東京印書館

発行人：上原哲郎
発行所：株式会社ビー・エヌ・エヌ新社
〒150-0022 東京都渋谷区恵比寿南一丁目20番6号
ファックス：03-5725-1511
info@bnn.co.jp
http://www.bnn.co.jp/

ご注意
本書の一部または全部について個人で使用するほかは、著作権上（株）ビー・エヌ・エヌ新社および著作権者の承諾を得ずに無断で複写、複製することは禁じられております。本書について電話でのお問い合わせには応じられません。ご質問等ございましたら、はがき、ファックス、E-mailにてご連絡下さい。乱丁本・落丁本はお取り替え致します。定価はカバーに記載されております。

© 2011 minä perhonen
ISBN978-4-86100-746-0
Printed in Japan